LUDW

Des Lebe

NOVELLE

NACHWORT VON
KONRAD NUSSBÄCHER

PHILIPP RECLAM JUN. STUTTGART

Der Text folgt: Ludwig Tiecks Schriften. Sechsundzwanzigst
Band: Novellen. Zehnter Band. Berlin: Georg Reimer, 1854.
Orthographie und Interpunktion wurden behutsam dem heutige
Gebrauch angeglichen, der Lautstand blieb gewahrt. Zum Vergleic
wurde herangezogen der Erstdruck der Novelle in: Urani
Taschenbuch auf das Jahr 1839. Neue Folge. Erster Jahrgan
Leipzig: F. A. Brockhaus, 1839.

Universal-Bibliothek Nr. 1925
Alle Rechte vorbehalten. © 1960, 1981 Philipp Reclam jun., Stuttgart
Gesamtherstellung: Reclam, Ditzingen. Printed in Germany 1981
ISBN 3-15-001925-7

In einem der härtesten Winter war gegen Ende des Februar ein sonderbarer Tumult gewesen, über dessen Entstehung, Fortgang und Beruhigung die seltsamsten und widersprechendsten Gerüchte in der Residenz umliefen. Es ist natürlich, daß, wenn alle Menschen sprechen und erzählen wollen, ohne den Gegenstand ihrer Darstellung zu kennen, auch das Gewöhnliche die Farbe der Fabel annimmt.

In der Vorstadt, die ziemlich bevölkert ist, hatte sich in einer der engsten Straßen das Abenteuer zugetragen. Bald hieß es, ein Verräter und Rebell sei entdeckt und von der Polizei aufgehoben worden, bald, ein Gottesleugner, der, mit andern Atheisten verbrüdert, das Christentum mit seiner Wurzel ausrotten wollen, habe sich nach hartnäckigem Widerstand den Behörden ergeben und sitze nun so lange fest, bis er in der Einsamkeit bessere Grundsätze und Überzeugungen finde. Er habe sich aber vorher noch in seiner Wohnung mit alten Doppelhaken, ja sogar mit einer Kanone verteidigt, und es sei, bevor er sich ergeben, Blut geflossen, so daß das Konsistorium wie das Kriminalgericht wohl auf seine Hinrichtung antragen werde. Ein politischer Schuhmacher wollte wissen, der Verhaftete sei ein Emissär, der als das Haupt vieler geheimen Gesellschaften mit allen Revolutionsmännern Europas in innigster Verbindung stehe; er habe alle Fäden in Paris, London und Spanien wie in den östlichen Provinzen gelenkt, und es sei nahe daran, daß im äußersten Indien eine ungeheure Empörung ausbrechen und sich dann gleich der Cholera nach Europa herüberwälzen werde, um allen Brennstoff in lichte Flammen zu setzen.

So viel war ausgemacht, in einem kleinen Hause hatte es Tumult gegeben, die Polizei war herbeigerufen worden, das Volk hatte gelärmt, angesehene Männer wurden bemerkt, die sich darein mischten, und nach einiger Zeit war alles wieder ruhig, ohne daß man den Zusammenhang begriff. Im Hause selbst war eine gewisse Zerstörung nicht zu verkennen. Jeder legte sich die Sache aus, wie Laune oder Phantasie sie ihm erklären mochten. Die Zimmerleute und Tischler besserten nachher den Schaden aus.

Ein Mann hatte in diesem Hause gewohnt, den niemand in der Nachbarschaft kannte. War er ein Gelehrter? ein Politiker? ein Einheimischer? ein Fremder? Darüber wußte keiner, selbst der Klügste nicht, einen genügenden Bescheid zu geben.

So viel ist gewiß, dieser unbekannte Mann lebte sehr still und eingezogen, man sah ihn auf keinem Spaziergange, an keinem öffentlichen Orte. Er war noch nicht alt, wohlgebildet, und seine junge Frau, die sich mit ihm dieser Einsamkeit ergeben hatte, durfte man eine Schönheit nennen.

Um Weihnachten war es, als dieser jugendliche Mann in seinem Stübchen, dicht am Ofen sitzend, also zu seiner Frau redete: »Du weißt, liebste Clara, wie sehr ich den ›Siebenkäs‹ unsers Jean Paul liebe und verehre; wie dieser sein Humorist sich aber helfen würde, wenn er in unsrer Lage wäre, bleibt mir doch ein Rätsel. Nicht wahr, Liebchen, jetzt sind, so scheint es, alle Mittel erschöpft?«

»Gewiß, Heinrich«, antwortete sie lächelnd und zugleich seufzend; »wenn du aber froh und heiter bleibst, liebster aller Menschen, so kann ich mich in deiner Nähe nicht unglücklich fühlen.«

»Unglück und Glück sind nur leere Worte«, antwortete Heinrich; »als du mir aus dem Hause deiner Eltern folgtest, als du so großmütig um meinetwillen alle Rücksichten fahrenließest: da war unser Schicksal auf unsre Lebenszeit bestimmt. Lieben und leben hieß nun unsre Losung; wie wir leben würden, durfte uns ganz gleichgültig sein. Und so möchte ich noch jetzt aus starkem Herzen fragen: Wer in ganz Europa ist wohl so glücklich, als ich mich mit vollem Recht und aus der ganzen Kraft meines Gefühles nennen darf?«

»Wir entbehren fast alles«, sagte sie, »nur uns selbst nicht, und ich wußte ja, als ich den Bund mit dir schloß, daß du nicht reich warst; dir war es nicht unbekannt, daß ich aus meinem väterlichen Hause nichts mit mir nehmen konnte. So ist die Armut mit unsrer Liebe eins geworden, und dieses Stübchen, unser Gespräch, unser Anblicken und Schauen in des Geliebten Auge ist unser Leben.«

»Richtig!« rief Heinrich aus und sprang auf in seiner Freude, um die Schöne lebhaft zu umarmen; »wie gestört, ewig getrennt, einsam und zerstreut wären wir nun in jenem Schwarm der vornehmen Zirkel, wenn alles in seiner Ordnung vor sich gegangen wäre. Welch Blikken, Sprechen, Handgeben, Denken dort! Man könnte Tiere oder selbst Marionetten so abrichten und eindrechseln, daß sie eben die Komplimente machten und solche Redensarten von sich gäben. So sind wir, mein Schatz, wie Adam und Eva hier in unserm Paradiese, und kein Engel kommt auf den ganz überflüssigen Einfall, uns daraus zu vertreiben.«

»Nur«, sagte sie etwas kleinlaut, »fängt das Holz an, ganz einzugehen, und dieser Winter ist der härteste, den ich bis jetzt noch erlebt habe.«

Heinrich lachte. »Sieh«, rief er, »ich muß aus purer Bosheit lachen, aber es ist darum noch nicht das Lachen der Verzweiflung, sondern einer gewissen Verlegenheit, da ich durchaus nicht weiß, wo ich Geld hernehmen könnte. Aber finden müssen sich die Mittel; denn es ist undenkbar, daß wir erfrieren sollten bei so heißer Liebe, bei so warmem Blut! Pur unmöglich!«

Sie lachte ihn freundlich an und erwiderte: »Wenn ich nur, so wie Lenette, Kleider zum Verkaufe mitgebracht oder überflüssige Messingkannen und Mörser oder kupferne Kessel in unsrer kleinen Wirtschaft umherständen, so wäre leicht Rat zu finden.«

»Jawohl«, sprach er mit übermütigem Ton, »wenn wir

Millionärs wären wie jener Siebenkäs, dann wäre es keine Kunst, Holz anzuschaffen und selbst bessere Nahrung.«

Sie sah im Ofen nach, in welchem Brot in Wasser kochte, um so das kärglichste Mittagsmahl herzustellen, welches dann mit einem Nachtisch von weniger Butter beschlossen werden sollte. »Während du«, sagte Heinrich, »die Aufsicht über unsre Küche führst und dem Koch die nötigen Befehle erteilst, werde ich mich zu meinen Studien niedersetzen. Wie gern schriebe ich wieder, wenn mir nicht Dinte, Papier und Feder völlig ausgegangen wären; ich möchte auch wieder einmal etwas lesen, was es auch sei, wenn ich nur noch ein Buch hätte.«

»Du mußt denken, Liebster«, sagte Clara und sah schalkhaft zu ihm hinüber; »die Gedanken sind dir hoffentlich noch nicht ausgegangen.«

»Liebste Ehefrau«, erwiderte er, »unsre Wirtschaft ist so weitläufig und groß, daß sie wohl deine ganze Aufmerksamkeit in Anspruch nimmt; zerstreue dich ja nicht, damit nicht unsre ökonomischen Verhältnisse in Verwirrung geraten. Und da ich mich jetzt in meine Bibliothek begebe, so laß mich vor jetzt in Ruhe; denn ich muß meine Kenntnisse erweitern und meinem Geiste Nahrung gönnen.«

»Er ist einzig!« sagte die Frau zu sich selber und lachte fröhlich; »und wie schön er ist!«

»So lese ich denn wieder in meinem Tagebuche«, sprach Heinrich, »das ich ehemals anlegte, und es interessiert mich, rückwärts zu studieren, mit dem Ende anzufangen und mich so nach und nach zu dem Anfange vorzubereiten, damit ich diesen um so besser verstehe. Immer muß alles echte Wissen, alles Kunstwerk und gründliche Denken in einen Kreis zusammenschlagen und Anfang und Ende innigst vereinigen, wie die Schlange, die sich in den Schwanz beißt – ein Sinnbild der Ewigkeit, wie andre sagen; ein Symbol des Verstandes und alles Richtigen, wie ich behaupte.«

Er las auf der letzten Seite, aber nur halblaut: »Man hat ein Märchen, daß ein wütender Verbrecher, zum Hungertode verdammt, sich selber nach und nach aufspeiset; im Grunde ist das nur die Fabel des Lebens und eines jeden Menschen. Dort blieb am Ende nur der Magen und das Gebiß übrig, bei uns bleibt die Seele, wie sie das Unbegreifliche nennen. Ich aber habe auch, was das Äußerliche betrifft, in ähnlicher Weise mich abgestreift und abgelebt. Es war beinah lächerlich, daß ich noch einen Frack nebst Zubehör besaß, da ich niemals ausgehe. Am Geburtstage meiner Frau werde ich in Weste und Hemdärmeln vor ihr erscheinen, da es doch unschicklich wäre, bei hoffähigen Leuten in einem ziemlich abgetragenen Überrock Cour zu machen.«

»Hier geht die Seite und das Buch zu Ende«, sagte Heinrich. »Alle Welt sieht ein, daß unsre Fracks eine dumme und geschmacklose Kleidung sind, alle schelten diese Unform, aber keiner macht, so wie ich, Ernst damit, den Plunder ganz abzuschaffen. Ich erfahre nun nicht einmal aus den Zeitungen, ob andre Denkende meinem kühnen Beispiele und Vorgange folgen werden.«

Er schlug um und las die vorige Seite: »Man kann auch ohne Servietten leben. Wenn ich bedenke, wie unsre Lebensweise immer mehr und mehr in Surrogat, Stellvertretung und Lückenbüßerei übergegangen ist, so bekomme ich einen rechten Haß auf unser geiziges und knickerndes Jahrhundert und fasse, da ich es ja haben kann, den Entschluß, in der Weise unsrer viel freigebigern Altvordern zu leben. Diese elenden Servietten sind ja, was selbst die heutigen Engländer noch wissen und verachten, offenbar nur erfunden, um das Tischtuch zu schonen. Ist es also Großmut, das Tischtuch nicht zu achten, so gehe ich darin noch weiter, das Tafeltuch zusamt den Servietten für überflüssig zu erklären. Beides wird verkauft, um vom saubern Tische selbst zu essen, nach Weise der Patriarchen, nach Art der – nun? welcher

Völker? Gleichviel! Essen doch viele Menschen selbst ohne Tisch. Und, wie gesagt, ich treibe dergleichen nicht aus zynischer Sparsamkeit, nach Art des Diogenes, aus dem Hause, sondern im Gegenteil im Gefühl meines Wohlstandes, um nur nicht, wie die jetzige Zeit, aus törichtem Sparen zum Verschwender zu werden.«

»Du hast es getroffen«, sagte die Gattin lächelnd; »aber damals lebten wir von dem Erlös dieser überflüssigen Sachen doch noch verschwenderisch. Oft sogar hatten wir zwei Schüsseln.«

Jetzt setzten sich die beiden Gatten zum dürftigsten Mahle nieder. Wer sie gesehen, hätte sie für beneidenswert halten müssen, so fröhlich, ja ausgelassen waren sie an der einfachen Tafel. Als die Brotsuppe verzehrt war, holte Clara mit schalkhafter Miene einen verdeckten Teller aus dem Ofen und setzte dem überraschten Gatten noch einige Kartoffeln vor. »Sieh!« rief dieser, »das heißt einem, wenn man sich an den vielen Büchern satt studiert hat, eine heimliche Freude machen! Dieser gute Erdapfel hat mit zu der großen Umwälzung von Europa beigetragen. Der Held Walter Raleigh soll leben!« – Sie stießen mit den Wassergläsern an, und Heinrich sah nach, ob der Enthusiasmus auch nicht einen Riß im Glase verursacht habe. »Um diese ungeheure Künstlichkeit«, sagte er dann, »um diese Einrichtung mit unsern alltäglichen Gläsern würden uns die reichsten Fürsten des Altertums beneidet haben. Es muß langweilig sein, aus einem goldenen Pokal zu trinken, vollends so schönes, klares, gesundes Wasser. Aber in unsern Gläsern schwebt die erfrischende Welle so heiter durchsichtig, so eins mit dem Becher, daß man wirklich versucht wird, zu glauben, man genieße den flüssig gewordenen Äther selbst. – Unsre Mahlzeit ist geschlossen; umarmen wir uns.«

»Wir können auch zur Abwechselung«, sagte sie, »unsre Stühle an das Fenster rücken.«

»Platz genug haben wir ja«, sagte der Mann, »eine wahre Rennbahn, wenn ich an die Käfige denke, die der elfte

Ludwig für seine Verdächtigen bauen ließ. Es ist unglaublich, wieviel Glück schon darin liegt, daß man Arm und Fuß nach Gutdünken erheben kann. Zwar sind wir immer noch, wenn ich an die Wünsche denke, die unser Geist in manchen Stunden faßt, angekettet: Die Psyche ist in die Leimrute, die uns klebend hält und von der wir nicht losflattern können, weiß der Himmel wie, hineingesprungen, und wir und Rute sind nun so eins, daß wir zuweilen das Gefängnis für unser besseres Selbst halten.«

»Nicht so tiefsinnig«, sagte Clara und faßte seine schön geformte Hand mit ihren zarten und schlanken Fingern; »sieh lieber, mit wie sonderbaren Eisblumen der Frost unsre Fenster ausgeschmückt hat. Meine Tante wollte immer behaupten, durch diese mit dickem Eis überzogenen Gläser werde das Zimmer wärmer, als wenn die Scheiben frei wären.«

»Es ist nicht unmöglich«, sagte Heinrich; »doch möchte ich auf diesen Glauben hin das Heizen nicht unterlassen. Am Ende könnten die Fenster von Eisschollen so dick werden, daß sie uns die Stube verengten, und so wüchse uns um die Haut her jener berühmte Eispalast in Petersburg. Wir wollen aber lieber bürgerlich und nicht wie die Fürsten leben.«

»Wie wunderbar«, rief Clara, »sind doch diese Blumen gezeichnet, wie mannigfaltig! Man glaubt sie alle schon in der Wirklichkeit gesehen zu haben, so wenig man sie auch namhaft zu machen weiß. Und sieh nur, die eine verdeckt oft die andere, und die großartigen Blätter scheinen noch nachzuwachsen, indem wir darüber sprechen.«

»Ob wohl«, fragte Heinrich, »die Botaniker schon diese Flora beobachtet, abgezeichnet und in ihre gelehrten Bücher übertragen haben? Ob diese Blumen und Blätter nach gewissen Regeln wiederkehren oder sich phantastisch immer neu verwandeln? Dein Hauch, dein süßer Atem hat diese Blumengeister oder Revenants einer erloschenen Vorzeit hervorgerufen, und so wie du süß und lieblich denkst und phantasierst, so zeichnet ein humoristischer Genius deine Einfälle und Fühlungen hier in Blumenphantomen und Gespenstern wie mit Leichenschrift in einem vergänglichen Stammbuche auf, und ich lese hier, wie du mir treu und ergeben bist, wie du an mich denkst, obgleich ich neben dir sitze.«

»Sehr galant! mein verehrter Herr«, versetzte sie sehr freundlich; »Sie könnten in der Weise diese Eisblumen lehr- und sinnreich erklären, wie wir zu Umrissen der Shakespeareschen Stücke zu gelehrte und elegante Erläuterungen besitzen.«

»Still, mein Herz!« erwiderte der Gatte, »kommen wir nicht in jene Gegend, und nenne mich auch nicht einmal im Scherze Sie. – Ich werde mein Tagebuch jetzt nach unserem Festmahl noch etwas rückwärts studieren. Diese Monologe belehren mich schon jetzt über mich selbst, wieviel mehr müssen sie es künftig in meinem Alter tun. Kann ein Tagebuch etwas andres als Monologe enthalten? Doch, ein recht großer Künstlergeist könnte ein solches dialogisch denken und schreiben. Wir vernehmen aber nur gar zu selten diese zweite Stimme in uns selbst. Natürlich! Gibt es unter Tausenden doch kaum einen, der in der Wirklichkeit den Verständigen und dessen Antworten vernimmt, wenn sie anders lauten, als der Sprechende sich die seinigen und seine Fragen angewöhnt hat.«

»Sehr wahr«, bemerkte Clara, »und darum ist in ihrer höchsten Weihe die Ehe erfunden. Das Weib hat in ihrer Liebe immer jene zweite, antwortende Stimme oder den richtigen Gegenruf des Geistes. Und glaube mir, was ihr so oft in euerm männlichen Übermut unsre Dummheit oder Kurzsichtigkeit benennt oder Mangel an Philosophie, Unfähigkeit, in die Wirklichkeit einzudringen, und dergleichen Phrasen mehr, das ist, wie oft, der echte Geisterdialog, die Ergänzung oder der harmonische Einklang in euer Seelengeheimnis. Aber freilich, die meisten

Männer erfreuen sich nur eines nachhallenden Echos und nennen *das* Naturlaut, Seelenklang, was nur nachbetender oder nachbuchstabierter Schall unverstandener Floskeln ist. Oft ist das sogar ihr Ideal der Weiblichkeit, in welches sie sich sterblich verlieben.«

»Engel! Himmel!« rief in Begeisterung der junge Gatte; »ja, wir verstehen uns; unsre Liebe ist die wahre Ehe, und du erhellst und ergänzest die Gegend in mir, wo sich der Mangel oder die Dunkelheit kundtut. Wenn es Orakel gibt, so darf es auch an Sinn und Gehör nicht fehlen, sie zu vernehmen und zu deuten.«

Eine lange Umarmung endigte und erläuterte dieses Gespräch. »Der Kuß«, sagte Heinrich, »ist auch ein solches Orakel. Sollte es wohl schon Menschen gegeben haben, die sich bei einem recht innigen Kusse etwas Verständiges haben denken können?«

Clara lachte laut, ward dann plötzlich ernsthaft und sagte etwas kleinlaut, ja selbst im Tone des Mitleids: »Ja, ja, so verfahren wir mit Domestiken und Haushältern, Reitknechten und Stallmeistern, denen wir doch oft so viel zu verdanken haben. Sind wir in geistiger oder gar in übermütiger Aufregung, so verachten und verlachen wir sie. Mein Vater sprang einmal mit seinem schwarzen Hengst über einen breiten Graben, und als alle Welt ihn bewunderte und die Damen in die Hände klatschten, stand ein alter Stallmeister in der Nähe, und nur er schüttelte bedenklich mit dem Kopfe. Der Mann war steif und linkisch, mit seinem langen Zopfe und der roten Nase komisch anzuschauen. ›Nun, Ihr?‹ fuhr ihn mein heftiger Vater an; ›gibt's wieder zu hofmeistern?‹ Der steilrechte Mann ließ sich aber nicht aus der Fassung bringen und sagte ruhig: ›Erstlich haben Exzellenz dem Pferde den Zügel nicht genug nachgelassen, weil Sie ängstlich waren; Sie konnten stürzen, denn der Sprung war nicht frei und weit genug; zweitens hat das Roß wenigstens ebensoviel Verdienst dabei als Sie, und wenn ich drittens nicht stunden- und tagelang das Tier geübt und verständig gemacht hätte, was nur geschehen kann, wenn man Langeweile nicht fürchtet und die Geduld übt, so hätten weder Ihr freier Mut noch der gute Wille des Hengstes etwas gefruchtet.‹ – ›Ihr habt recht, alter Mensch‹, sagte mein Vater und ließ ihm ein großes Geschenk verabreichen. – So wir. Wir dürfen nur phantasieren, uns dem Gefühl und der Ahndung überlassen, träumen und witzig sein, wenn jener trockne Verstand die Schule allen diesen Rossen beigebracht hat. Will Reiter oder Pferd, wenn sie nur Dilettanten geblieben sind, den kühnen Sprung versuchen, so werden sie zum Grauen oder Gelächter der Zuschauer stürzen und im Graben liegen bleiben.«

»Wahr«, bemerkte Heinrich, »die Geschichte unsrer Tage bestätigt das in so manchem Schwärmer oder auch Poeten. Es gibt jetzt Dichter, die sogar von der falschen Seite aufsteigen und doch ganz arglos jenen künstlichen Sprung versuchen wollen. O dein Vater!«

Clara sah ihn mit mitleidvollen Augen an, deren Blick er nicht zu widerstehen mochte. »Jawohl, Vater«, sagte er halb verdrossen, »mit dem einzigen Laut ist sehr viel gesagt. Und was will ich denn auch? Du warst ja doch imstande, ihn aufzugeben, so sehr du ihn liebtest.«

Beide waren ernsthaft geworden. »Ich will weiterstudieren«, sagte dann der junge Mann.

Er nahm das Tagebuch wieder vor und schlug ein Blatt zurück. Er las laut: »Heut verkaufte ich dem geizigen Buchhändler mein seltenes Exemplar des Chaucer, jene alte kostbare Ausgabe von Caxton. Mein Freund, der liebe, edle Andreas Vandelmeer, hatte sie mir zu meinem Geburtstage, den wir in der Jugend auf der Universität feierten, geschenkt. Er hatte sie eigens aus London verschrieben, sehr teuer bezahlt und sie dann nach seinem eigensinnigen Geschmack herrlich und reich mit vielen gotischen Verzierungen einbinden lassen. Der alte Geizhals, so wenig er mir auch gegeben hat, hat sie gewiß sogleich nach London geschickt, um mehr als das Zehn-

12

ache wieder zu erhalten. Hätte ich nur wenigstens das
Blatt herausgeschnitten, auf welchem ich die Geschichte
dieser Schenkung erzähle und zugleich diese unsre
Wohnung verzeichnet hatte. Das geht nun mit nach
London oder in die Bibliothek eines reichen Mannes.
Ich bin darüber verdrüßlich. Und daß ich dies liebe
Exemplar so weggegeben und unter dem Preise verkauft
habe, sollte mich fast auf den Gedanken bringen, daß
ich wirklich verarmt sei oder Not litte; denn ohne Zweifel war doch dieses Buch das teuerste Eigentum, was ich
jemals besessen habe, und welches Angedenken von ihm,
von meinem einzigen Freunde! O Andreas Vandelmeer!
Lebst du noch? Wo weilest du? Gedenkst du noch
mein?«

»Ich sah deinen Schmerz«, sagte Clara, »als du das Buch
verkauftest, aber diesen deinen Jugendfreund hast du mir
noch niemals näher bezeichnet.«

»Ein Jüngling«, sagte Heinrich, »mir ähnlich, aber etwas
älter und viel gesetzter. Wir kannten uns schon auf der
Schule, und ich mag wohl sagen, daß er mich mit seiner
Liebe verfolgte und sie mir leidenschaftlich aufdrang. Er
war reich und bei seinem großen Reichtum und seiner
verweichlichten Erziehung doch sehr wohlwollend und
allem Egoismus fern. Er klagte, daß ich seine Leidenschaft nicht erwidere, daß meine Freundschaft zu kühl
und ihm ungenügend sei. Wir studierten miteinander
und bewohnten dieselben Zimmer. Er verlangte, ich solle
Opfer von ihm begehren; denn er hatte an allem Überfluß, und mein Vater konnte mich nur mäßig unterhal-
ten. Als wir in die Residenz zurückkehrten, faßte er den
Plan, nach Ostindien zu gehen; denn er war ganz unabhängig. Nach jenen Ländern der Wunder zog ihn sein
Herz; dort wollte er lernen, schauen und seinen heißen
Durst nach Kenntnissen und der Ferne sättigen. Nun ein
unablässiges Zureden, Bitten und Flehen, daß ich ihn
begleiten solle; er versicherte, daß ich dort mein Glück
machen werde und müsse, wobei er mich unterstützen

13

wolle; denn dort hatte er von seinen Vorfahren große
Besitzungen ererbt. Aber meine Mutter starb, der ich
noch in ihren letzten Tagen ihre Liebe etwas vergelten
konnte, mein Vater war krank, und ich konnte die
Leidenschaft meines Freundes nicht teilen; auch hatte ich
alle jene Kenntnisse nicht gesammelt, die Sprachen nicht
gelernt, was ihm alles aus Liebe zum Orient geläufig war.
Es lebten selbst noch Verwandte von ihm, die er dort
aufsuchen wollte. Durch Freunde und Beschützer ward
mir, wie es immer mein Wunsch war, eine Stelle beim
diplomatischen Korps. Mit dem Vermögen meiner Mutter war ich imstande, mich zu meinem Beruf geziemlich
einzurichten, und ich verließ meinen Vater, für dessen
Genesung nur wenig Hoffnung war. Mein Freund verlangte durchaus, daß ich einen Teil meines Kapitals ihm
mitgeben solle, er wolle dort damit spekulieren und mir
dann den Gewinn in Zukunft berechnen. Ich mußte
glauben, daß dies ein Vorwand sei, mir mit Anstand
einmal ein ansehnliches Geschenk machen zu können. So
kam ich mit meinem Gesandten in deine Vaterstadt, wo
sich nachher mein Schicksal auf die Art, wie du es weißt,
entwickelte.«
»Und du hast niemals von diesem herrlichen Andreas
wieder etwas erfahren?« fragte Clara.
»Zwei Briefe erhielt ich von ihm aus jenem fernen Welt-
teile«, antwortete Heinrich; »nachher erfuhr ich von
einem unverbürgten Gerücht, er sei daselbst an der Cholera gestorben. So war er mir entrückt, mein Vater war
nicht mehr, ich war gänzlich, auch in Ansehung meines
Vermögens, auf mich selbst angewiesen. Doch genoß ich
die Gunst meines Gesandten, bei meinem Hofe war ich
nicht unbeliebt, ich durfte auf mächtige Beschützer rechnen – und alles das ist verschwunden.«
»Jawohl«, sagte Clara, »du hast mir alles aufgeopfert,
und ich bin ebenfalls von den Meinigen auf immer ausge-
stoßen.«
»Um so mehr muß uns die Liebe alles ersetzen«, sagte

der Gatte, »und so ist es auch; denn unsre Flitterwochen, wie die prosaischen Menschen sie nennen, haben sich doch nun schon weit über ein Jahr hinaus erstreckt.«

»Aber dein schönes Buch«, sagte Clara, »deine herrliche Dichtung! Hätten wir nur wenigstens eine Abschrift davon behalten können. Wie möchten wir uns daran ergötzen in diesen langen Winterabenden! – Ja freilich«, setzte sie seufzend hinzu, »müßten uns dann auch Lichter zu Gebote stehen.«

»Laß gut sein, Clärchen«, tröstete der Mann; »wir schwatzen, und das ist noch besser; ich höre den Ton deiner Stimme, du singst mir ein Lied, oder du schlägst gar ein himmlisches Gelächter auf. Diese Lachtöne habe ich noch niemals im Leben als nur von dir vernommen. Es ist ein so reiner Jubel, ein so überirdisches Jauchzen und dabei ein so feines und innig rührendes Gefühl in diesem Klange des Ergötzens und Übermutes, daß ich entzückt zuhöre und zugleich darüber denke und grüble. Denn, mein zarter Engel, es gibt Fälle und Stimmungen, wo man über einen Menschen, den man schon lange, lange kennt, erschrickt, sich zuweilen entsetzt, wenn er ein Lachen aufschlägt, das ihm recht von Herzen geht und das wir bis dahin noch nicht von ihm vernommen haben. Selbst bei zarten Mädchen, und die mir bis dahin gefielen, ist mir dergleichen wohl begegnet. Wie in manchem Herzen unerkannt ein süßer Engel schlummert, der nur auf den Genius wartet, der ihn erwecken soll, so schläft oft in graziösen und liebenswerten Menschen doch im tiefen Hintergrund ein ganz gemeiner Sinn, der dann aus seinen Träumen auffährt, wenn ihm einmal das Komische mit voller Kraft in des Gemütes verborgenstes Gemach dringt. Unser Instinkt fühlt dann, daß in diesem Wesen etwas liege, wovor wir uns hüten müssen. O wie bedeutungsvoll, wie charakteristisch ist das Lachen der Menschen! Das deinige, mein Herz, möchte ich einmal poetisch beschreiben können.«

»Hüten wir uns aber«, erinnerte sie, »nicht unbillig zu

werden. Das allzu genaue Beobachten der Menschen kann leicht zur Menschenfeindschaft führen.«

»Daß jener junge, leichtsinnige Buchhändler«, fuhr Heinrich fort, »Bankrott gemacht hat und mit meinem herrlichen Manuskript in alle Welt gelaufen ist, dient gewiß auch zu unserm Glück. Wie leicht, daß der Umgang mit ihm, das gedruckte Buch, das Schwatzen darüber in der Stadt die Aufmerksamkeit der Neugierigen auf uns hieher gelenkt hätte. Noch hat die Verfolgung deines Vaters und deiner Familie gewiß nicht nachgelassen; man hätte wohl meine Pässe von neuem und schärfer untersucht, man wäre auf den Argwohn geraten, daß mein Name nur ein falscher und angenommener sei, und so hätte man uns bei meiner Hülflosigkeit, und da ich mir durch meine Flucht den Zorn meiner Regierung zugezogen habe, wohl gar getrennt, dich deinen Angehörigen zurückgesendet und mich in einen schwierigen Prozeß verwickelt. So, mein Engel, sind wir ja in unsrer Verborgenheit glücklich und überglücklich.«

Da es schon dunkel geworden und das Feuer im Ofen ausgebrannt war, so begaben sich die beiden glücklichen Menschen in die enge, kleine Kammer auf ihr gemeinschaftliches Lager. Hier fühlten sie nichts von dem zunehmenden, erstarrenden Frost, von dem Schneegestöber, das an ihre kleinen Fenster schlug. Heitre Träume umgaukelten sie, Glück, Wohlstand und Freude umgaben sie in einer schönen Natur, und als sie aus der anmutigen Täuschung erwachten, erfreute sie die Wirklichkeit doch inniger. Sie plauderten im Dunkeln noch fort und verzögerten es, aufzustehen und sich anzukleiden, weil der Frost sie draußen und Mühsal erwartete. Indessen schimmerte schon der Tag, und Clara eilte in das beschränkte Zimmer, um aus der Asche den Funken zu wecken und das kleine Feuer im Ofen anzuzünden. Heinrich half ihr, und sie lachten wie die Kinder, als ihr Werk immer noch nicht gelingen wollte. Endlich, nach vieler Anstrengung von Hauchen und Blasen, so daß beide rote Gesichter bekommen hatten, entzündete sich der Span, und das wenige, feingeschnittene Holz wurde künstlich gelegt, um ohne Verschwendung den Ofen und das kleine Zimmer zu erwärmen. »Du siehst, lieber Mann«, sagte die Frau, »daß wir etwa nur auf morgen Vorrat haben: wie dann? –«

»Es muß sich ja etwas finden«, erwiderte Heinrich mit einem Blicke, als wenn sie etwas ganz Überflüssiges gesprochen hätte.

Es war ganz hell geworden, die Wassersuppe war ihnen das köstlichste Frühstück, von Kuß und Gespräch gewürzt, und Heinrich setzte der Gattin auseinander, wie falsch jenes lateinische Sprüchwort sei: »Sine Baccho et Cerere friget Venus.« So vergingen ihnen die Stunden.

»Ich freue mich schon darauf«, sagte Heinrich, »wenn ich in meinem Tagebuche an die Stelle kommen werde, wie ich dich, Geliebte, plötzlich entführen mußte.«

»O Himmel!« rief sie, »wie uns damals jener wunderbare Augenblick so seltsam und unerwartet überraschte! Schon seit einigen Tagen hatte ich an meinem Vater eine gewisse Verstimmung bemerkt; er sprach in einem andern Tone zu mir als gewöhnlich. Er hatte sich früher über deine häufigen Besuche gewundert; jetzt nannte er dich nicht, sprach aber von Bürgerlichen, die ihre Stellung so oft verkennen und sich den Besten unbedingt gleichstellen wollten. Da ich nicht antwortete, wurde er böse, und da ich endlich sprach, artete seine Laune in heftigen Zorn aus. Ich fühlte, wie er Zank mit mir suchte, und nachher, wie er mich bewachte und von andern beobachten ließ. Nach acht Tagen, als ich eben einen Besuch machen wollte, rannte meine getreue Kammerfrau mir auf der Treppe nach, der Bediente war schon voraus, und unter dem Vorwande, mir am Kleide etwas zu ordnen, sagte sie mir heimlich, wie alles entdeckt sei; man habe meinen Schrank gewaltsam geöffnet und alle deine Briefe gefunden, ich werde nach wenigen Stunden zu einer Tante fern in eine traurige Landschaft hinein verschickt werden. Wie schnell war mein Entschluß gefaßt! Ich stieg, um zu kaufen, an einem Galanterieladen ab, schickte Kutscher und Diener fort, um mich nach einer Stunde wieder abzuholen. –«

»Und wie erstaunte, erschrak ich, war ich entzückt«, rief der Gatte aus, »als du so plötzlich in mein Zimmer tratst. Ich kam von meinem Gesandten, ich war angekleidet; er hatte seltsame Reden geführt, in einem ganz andern Tone als gewöhnlich, halb bedrohend, warnend, aber immer noch freundlich. Ich hatte zum Glück verschiedene Pässe bei mir, und so bestiegen wir schnell, ohne Vorkehrungen, einen Mietwagen, dann auf dem Dorfe ein Fuhrwerk und kamen so über die Grenze, wurden getraut und glücklich.«

»Aber«, fuhr sie fort, »die tausend Verlegenheiten unterwegs, in schlechten Gasthöfen, der Mangel an Kleidern und Bedienung, die vielfachen Bequemlichkeiten, die wir gewohnt waren und die wir nun entbehren mußten – und der Schreck, als wir von ungefähr durch einen Reisenden erfuhren, wie man uns nachsetze, wie öffentlich alles geworden sei, wie man so gar keine Rücksicht gegen uns beobachten wolle.«

»Ja, ja, Liebchen«, erwiderte Heinrich, »das war auf der ganzen Reise unser schlimmster Tag. Denkst du denn auch noch daran, wie wir, um nicht Argwohn zu erregen, mit jenem schwatzenden Fremden lachen mußten, als er sich in der Schilderung des Entführers erging, der nach seiner Meinung das Muster eines elenden Diplomaten sei, da er gar keine klugen Anstalten und sichere Vorkehrungen getroffen habe; wie er nun deinen Geliebten wiederholend einen dummen Teufel, einen Einfaltspinsel nannte, wie du in Zorn ausbrechen wolltest und auf meinen Wink dich doch wieder zum Lachen zwangst, ja zum Überfluß nun selber zu schelten begannst, mich und dich als Leichtsinnige, Unverständige schildertest, und endlich, als sich der Schwätzer, lem wir aber eigentlich seiner Warnung halber dankbar ein mußten, entfernt hatte, du in ein lautes Weinen usbrachst–«

Ja«, rief sie aus, »ja, Heinrich, das war ein ebenso ustiger als betrübter Tag. Unsre Ringe, so manches Wertvolle, das wir zufällig an uns trugen, half uns nun ort. Aber, daß wir deine Briefe nicht haben retten können, ist ein unersetzlicher Verlust. Und heiß überäuft mich die Angst, sooft es mir einfällt, daß andre Augen als die meinigen diese deine himmlischen Worte, alle diese glühenden Töne der Liebe gelesen haben und an diesen Lauten, die meine Seligkeit waren, nur ein Ärgernis genommen.«

»Und noch schlimmer«, fuhr der Gatte fort, »daß meine Dummheit und Übereilung auch alle die Blätter zurückgelassen hat, die du mir in so mancherlei Stimmungen schicktest oder heimlich in die Hand drücktest. In allen Prozessen, nicht bloß denen der Liebe, ist immer das Schwarz auf Weiß, welches das Geheimnis entdeckt oder den Kasus verschlimmert. Und doch kann man es nicht lassen, mit Feder und Dinte diese Züge zu malen, welche die Seele bedeuten sollen. Oh, meine Geliebte, es waren oft Worte in diesen Briefen, bei denen mein Herz, von deiner Geisterhand, von diesem Lufthauch berührt, so gewaltig aus seiner Knospe ging, daß es mir, wie im zu raschen Auseinanderblühen aller Blätter, zu zerspringen schien.«

Sie umarmten sich, und es entstand eine fast feierliche Pause. »Liebchen«, sagte Heinrich dann, »welche Bibliothek neben meinem Tagebuch, wenn deine und meine Briefe aus dieser Omarschen Verfolgung noch wären gerettet worden.« Er nahm das Tagebuch und las, indem er nach rückwärts das Blatt umschlug.

»*Treue!* – Diese wundersame Erscheinung, die der Mensch so oft am Hunde bewundern will, wird in der Regel am eignen Menschengeschlecht viel zu wenig beachtet. Es ist unglaublich und kommt doch täglich vor, welchen sonderbaren, oft ganz verwirrten Begriff sich so viele von den sogenannten Pflichten machen. Wenn ein Dienstbote das Unmögliche tut, so hat er nur seine Pflicht getan, und an dieser Pflicht künsteln die höhern Stände so herum und herab, daß sie diese Pflichten, soviel sie nur können, nach ihrer Bequemlichkeit beugen oder zu ihrem Egoismus erziehen. Wäre die unerbittliche Galeerenarbeit, der eiserne Zwang der Papier- und Aktenverhältnisse nicht, so würden wir vermutlich die seltsamsten Erscheinungen beobachten können. Es ist unleugbar, daß diese Sklavenarbeit der endlosen Schreiberei in unserm Jahrhundert großenteils unnütz, nicht selten sogar schädlich ist. – Aber man denke nur einmal dieses große Rad der Hemmung in dieser egoistischen Zeit, bei dieser sinnlichen Generation plötzlich ausgehoben – was könnte da entstehen, was sich alles zerstörend verwirren?

Pflichtlos sein ist eigentlich der Zustand, zu welchem die sogenannten Gebildeten in allen Richtungen stürzen wollen; sie nennen es Unabhängigkeit, Selbständigkeit, Freiheit. Sie bedenken nicht, daß, sowie sie sich diesem Ziele nähern wollen, die Pflichten wachsen, die bis dahin der Staat oder die große, unsäglich komplizierte, ungeheure Maschine der geselligen Verfassung in ihrem Namen, wenn auch oft blindlings, übernahm. Alles schilt die Tyrannei, und jeder strebt, Tyrann zu werden. Der Reiche will keine Pflichten gegen den Armen, der Gutsbesitzer gegen den Untertan, der Fürst gegen das Volk haben, und jeder von ihnen zürnt, wenn jene Untergebenen die Pflichten gegen sie verletzen. Darum nennen auch die Niederen diese Forderung eine altertümliche, der Zeit nicht mehr anpassende und möchten nun mit Redekunst und Sophisterei alle jene Bande ableugnen und vernichten, durch welche die Staaten und die Ausbildung der Menschheit nur möglich sind.

Aber Treue, echte Treue – wie so ganz anders ist sie, wie ein viel Höheres als ein anerkannter Kontrakt, ein eingegangenes Verhältnis von Verpflichtungen. Und wie schön erscheint diese Treue in alten Dienern und ihrer Aufopferung, wenn sie in ungefälschter Liebe, wie in alten poetischen Zeiten, einzig und allein ihren Herren leben.

Ich kann es mir freilich als ein sehr großes Glück denken, wenn der Dienstmann nichts Höheres kennt, nichts Edleres denken mag als seinen Gebieter. Ihm ist aller Zweifel, alle Grübelei, alles Schwanken und Hin- und Hersinnen auf ewig erloschen. Wie Tag und Nacht, Sommer und Winter, wie unabänderliches Naturwalten ist sein Verhältnis; in der Liebe zum Herrn liegt ihm jedes Verständnis.

Und gegen solche Diener hätte die Herrschaft keine Pflichten? Sie hat sie gegen alle ihre Diener, über den bedingten Lohn hinaus, aber gegen solche schuldet sie weit mehr und ganz etwas anderes und Höheres, nämlich eine wahre Liebe, eine echte, die dieser unbedingten Hingebung entgegenkommt.

Und womit sollen wir das je gutmachen, erwidern (denn vom Vergelten ist die Rede gar nicht), was unsre alte Christine an uns tut? Sie ist die Amme meiner Frau; wir trafen sie auf der ersten Station, und sie zwang uns beinah mit Gewalt, sie auf unsrer Reise mitzunehmen. Ihr durften wir alles sagen; denn sie ist die Verschwiegenheit selbst; sie fand sich auch gleich in die Rolle, die sie unterwegs und hier zu spielen hatte. Und wie ist sie uns, vorzüglich meiner Clara, ergeben! – Sie bewohnt unten ein ganz kleines, finsteres Kämmerchen und nährt sich eigentlich davon, daß sie in etlichen Nachbarhäusern noch gelegentliche Dienste tut. Wir begriffen es nicht, wie sie uns für so weniges unsere Wäsche unterhielt, immer wohlfeil einkaufte, bis wir endlich dahinterkamen, daß sie alles nur irgend Entbehrliche uns aufgeopfert hat. Jetzt arbeitet sie viel auswärts, um uns zu bedienen, um nur bei uns bleiben zu können. –

So werde ich also nun doch meinen Chaucer, von Caxton

gedruckt, verstoßen und das schimpfliche Gebot des knausernden Buchhändlers annehmen müssen. Das Wort ›verstoßen‹ hat mich immer besonders gerührt, wenn geringere Frauen es brauchten, indem sie in der Not gute oder geliebte Kleider versetzen oder verkaufen mußten. Es klingt fast wie von Kindern. – Verstoßen! – Wie Lear Cordelien, so ich meinen Chaucer. – Hat aber Clara nicht ihr einziges gutes Kleid, noch jenes von der Flucht her, längst verkauft? Schon unterwegs! – Ja, Christine ist doch mehr wert als der Chaucer, und sie muß auch vom Ertrage etwas erhalten. Nur wird sie es nicht nehmen wollen.

Caliban, der den trunkenen Stefano, noch mehr aber dessen wohlschmeckenden Wein bewundert, kniet vor den Trunkenbold hin, sagt flehend und mit aufgehobenen Händen: ›Bitte, sei mein Gott!‹

Darüber lachen wir; und viele Beamte, viele Besternte und Vornehme lachen mit, die zum elenden Minister oder zum trunkenen Fürsten oder zur widerwärtigen Mätresse ebenso flehend sagen: ›Bitte, sei mein Gott!‹ – Ich weiß meine Verehrung, meinen Glauben, das Bedürfnis, etwas anzubeten, nirgend anzubringen; mir fehlt ein Gott, an den ich glauben könnte, dem ich dienen, dem ich mein Herz widmen möchte, völlig; sei du es, denn – du hast guten Wein, und der wird hoffentlich vorhalten.

Wir lachen über den Caliban und seinen Sklavensinn, weil hier, wie beim Shakespeare immer, im Komischen verhüllt eine unendliche, eine schlagende Wahrheit ausgesprochen wird; weil wir diese, durch welche Tausende vor unsrer Phantasie in Calibans verwandelt worden, sogleich fühlen, darum lachen wir über diese bedeutsamen Worte.

›Bitte, sei mein Gott!‹ hat auch die alte Christine in ihrem stillen, ehrlichen Herzen, ohne es auszusprechen, zu Clara gesagt; aber nicht wie Caliban oder jene Weltmenschen, um Wein und Würden zu erhalten – sondern, damit Clara ihr die Erlaubnis gebe, zu entbehren, zu hungern und zu dürsten und bis in die Nacht hinein für sie zu arbeiten.

Es braucht wohl für einen Leser, wie ich einer bin, nicht gesagt zu werden, daß hier einiger Unterschied stattfindet.«

Eine Rührung hatte an diesem Tage die Lesung unterbrochen, eine Rührung, die um so gewaltiger wurde, als jetzt die alte, runzelvolle, halbkranke, von elenden Kleidern bedeckte Amme hereintrat, um zu melden, daß sie in dieser Nacht nicht im Kämmerchen unten schlafen, daß sie aber morgen früh dennoch den dürftigen Einkauf besorgen werde. Clara begleitete sie hinaus und sprach noch draußen mit ihr, und Heinrich schlug mit der Hand auf den Tisch und rief in Tränen: »Warum arbeite ich denn nicht auch als Tagelöhner? Ich bin ja bis jetzt noch gesund und kräftig. Aber nein, ich darf es nicht; denn dadurch erst würde sie sich elend fühlen; auch sie würde erwerben wollen, sich abquälen, allenthalben Hülfe suchen, und wir hätten uns beide für unglücklich erklärt. Auch würde man uns dann gewiß entdecken. Und leben wir doch, sind wir doch glücklich!«

Clara kam ganz heiter zurück, und das schlechte Mittagsmahl wurde von den Zufriedenen wieder als ein köstliches verzehrt. »Nun fühlten wir doch«, sagte Clara nach Tische, »gar keine Not, wenn unser Holzvorrat nicht völlig zu Ende wäre, und Christine weiß auch keinen Rat zu schaffen.«

»Liebe Frau«, sagte Heinrich ganz ernsthaft, »wir leben in einem zivilisierten Jahrhundert, in einem wohlregierten Lande, nicht unter Heiden und Menschenfressern; es muß ja doch Mittel und Wege geben. Befänden wir uns in einer Wildnis, so würde ich natürlich, wie Robinson Crusoe, einige Bäume fällen. Wer weiß, ob sich nicht Wald da findet, wo man ihn am wenigsten vermutet; kam doch auch zum Macbeth Birnams Wald hin, freilich um ihn zu verderben. Indessen sind ja auch zuweilen Inseln plötzlich aus dem Meere aufgetaucht; mitten unter Klüften und wilden Steinen wächst auch wohl ein Palmbaum, der Dornstrauch rauft Schafen und Lämmern die Wolle aus, wenn sie ihm zu nahe kommen, der Hänfling aber trägt diese Flocken zu Nest, um seinen zarten Jungen ein warmes Bett daraus zu machen.«

Clara schlief diesmal länger als gewöhnlich, und als sie erwachte, verwunderte sie sich darüber, daß es schon heller Tag war, und noch mehr, daß sie den Gemahl nicht an ihrer Seite fand. Wie aber erstaunte sie erst, als sie ein lautes, kreischendes Geräusch vernahm, das so klang, wie wenn eine Säge hartes, widerspenstiges Holz zerschneidet. Schnell kleidete sie sich an, um dem sonderbaren Ereignis auf den Grund zu kommen. »Mein Heinrich«, rief sie eintretend, »was machst du da?« – »Ich zersäge das Holz für unsern Ofen«, versetzte er keuchend, indem er von der Arbeit aufsah und der Frau ein ganz rotes Gesicht entgegenhielt.

»Erst sage mir nur, wie in aller Welt du zu der Säge kommst, und gar zu dem ungeheuern Block dieses schönen Holzes?«

»Du weißt«, sagte Heinrich, »wie vier, fünf Stufen zu einem kleinen Boden von hier führen, der leer steht. Nun, in einem Verschlage sah ich neulich, durch das Schlüsselloch guckend, eine Holzsäge und ein Beil, die wohl dem alten Hauswirt oder wer weiß wem sonst gehören mögen. Man achtet auf den Gang der Weltgeschichte, und so merkte ich mir diese Utensilien. Heut morgen nun, als du noch so angenehm schliefst, ging ich in stockdichter Finsternis dort hinauf, sprengte die dünne, elende Tür, die kaum mit einem kleinen, jämmerlichen Riegel versperrt war, und holte mir diese beiden Mordinstrumente herunter. Nun aber, da ich die Gelegenheit unsers Hauses ganz genau kenne, hob ich dieses lange, dicke, gewichtige Geländer unsrer Treppe, nicht

24

ohne Mühe und Anstrengung und mit Hülfe des Beiles, aus seinen Fugen und brachte den langen und schweren Balken, der unsre ganze Stube ausfüllt, hieher. Sieh nur, geliebte Clara, welche soliden, trefflichen Menschen unsre Vorfahren waren. Betrachte diese eichene Masse vom allerschönsten und kernigsten Holze, so glatt poliert und gefirnißt. Das wird uns ein ganz andres Feuer geben als unser bisheriges elendes Kiefern- und Weidengeflecht.«

»Aber, Heinrich«, rief Clara und schlug die Hände zusammen – »das Haus verderben!«

»Kein Mensch kommt zu uns«, sagte Heinrich, »wir kennen unsre Treppe und gehen selber nicht einmal auf und ab, also ist sie höchstens für unsre alte Christine da, die sich doch unendlich verwundern würde, wenn man zu ihr sagen wollte: ›Sieh, altes Kind, es soll einer der schönsten Eichenstämme im ganzen Forst, mannsdick, gefällt werden, vom Zimmermann und nachher vom Tischler kunstreich bearbeitet, damit du, Alte, die Stufen hinaufgehend, dich auf diesen herrlichen Eichenstamm stützen kannst.‹ Sie müßte ja laut auflachen, die Christine. Nein, ein solches Treppengeländer ist wieder eine von des Lebens ganz unnützen Überflüssigkeiten; der Wald ist zu uns gekommen, da er gemerkt hat, daß wir ihn so höchst notwendig brauchten. Ich bin ein Zauberer; nur einige Hiebe mit diesem magischen Beil, und es ergab sich dieser herrliche Stamm in meine Macht. Das kommt alles von der Zivilisation; hätte man hier immer, wie in vielen alten Hütten, an einem Strick oder an einem Stück Eisen, wie in Palästen, sich hinaufhelfen müssen, so konnte diese meine Spekulation nicht eintreten, und ich hätte andre Hülfsmittel suchen und erfinden müssen.«

Als Clara ihr Erstaunen überwunden hatte, mußte sie laut und heftig lachen; dann sagte sie: »Da es aber einmal geschehen ist, so will ich dir wenigstens bei deiner Holzhauerarbeit helfen, so wie ich es ehemals oft auf den Straßen gesehen habe.«

Man legte den Baum auf zwei Stühle, die an den Enden des Zimmers standen, weil es seine Länge so erforderte. Nun sägten beide, um den Zwischenraum zu vermindern, den Block in der Mitte durch. Es war mühsam, da beide des Handwerks nicht gewohnt waren und das harte Holz den Zähnen der Säge widerstand. Lachend und Schweiß vergießend konnten die beiden nur langsam in dem Geschäft vorschreiten. Endlich brach der Balken unter den letzten Schnitten. Nun ruhte man und trocknete den Schweiß. »Das hat noch den Vorteil«, sagte Clara dann, »daß wir nun fürs erste noch nicht einzuheizen brauchen.« Sie vergaßen, sich das Frühstück zu bereiten, und arbeiteten so den ganzen Vormittag, bis sie den Baum in so viele Teile zerlegt hatten, als nötig war, um diese spalten zu können.

»Welch ein Künstleratelier ist plötzlich aus unserm einsamen Zimmer geworden«, sagte Heinrich in einer Pause. »Jener ungeschlachte Baum, dort in der Finsternis liegend, von keinem Auge bemerkt, ist nun bereits in diese zierlichen Kubusklötze verwandelt, die jetzt nach einiger Überredung und Kunstgeschliffenheit vermöge dieses Beiles feuerfähig gemacht und in den Stand gebracht werden, die Flammen der Begeisterung zu ertragen.«

Er nahm das erste Viereck zur Hand, die Arbeit, dieses in kleinere Klötze und schmale Stücke zu spalten, war natürlich noch mühsamer als das Zersägen. Clara ruhte indessen aus und sah dem Manne mit Verwunderung und Freude zu, der nach einiger Übung und vergeblichen Versuchen bald die Handgriffe fand und selbst in dieser niedrigen Beschäftigung seiner Gattin als ein schöner Mann erschien. –

Es traf sich glücklich, daß bei diesen Arbeiten, von denen die Wände erdröhnten, der Herr des kleinen Hauses, der sonst das untere Zimmer bewohnte, abwesend war. So kam es, daß das verursachte Geräusch von niemand im Hause bemerkt werden konnte. Die Nachbarn hörten nicht sehr darauf, weil viele geräuschvolle Gewerbe sich in der Vorstadt, und namentlich in dieser Gasse, niedergelassen hatten.

Endlich war ein Vorrat des kleinen Holzes zustande gekommen, und man versuchte nun, den Ofen damit zu heizen. An diesem merkwürdigen Tage waren Mittagsmahl und Frühstück zusammengeflossen. Der Mittagstisch war heute viel anders als gestern und vorgestern.

»Du mußt nicht wunderlich sein, lieber Mann«, sagte Clara, bevor sie ein kleines Tuch auflegte; »unsre Christine hat von ihrem großen Waschfest diese Nacht allerhand nach Hause gebracht, und sie ist glücklich darin, es mit uns teilen zu können. Ich habe nicht den Mut gehabt, die Gabe zu verschmähen, und du wirst sie ebenfalls freundlich aufnehmen.«

Heinrich lächelte und sagte: »Die Alte ist ja schon seit lange unsere Wohltäterin, sie arbeitet in der Nacht, um uns zu helfen, sie bricht sich jetzt vom Munde ab, um uns zu speisen. Schwelgen wir also, um ihr Spaß zu machen, und stirbt sie, bevor wir uns in Tat dankbar erzeigen können, oder bleibt es uns für immer unmöglich, nun, so wollen wir mindestens in Liebe erkenntlich sein.«

Das Mahl war in der Tat schwelgerisch. Die Alte hatte einige Eier eingeliefert, etwas Gemüse mit Fleisch und selbst in einem Kännchen Kaffee zugerichtet. Beim Essen erzählte Clara, wie eine solche Wäsche in der Nacht diesen Leuten ein wahres hohes Fest sei, bei welchem sie erzählten und witzig und lustig wären, so daß sich zu dieser Arbeit immer viele drängten und diese nächtlichen Stunden feierlich begingen. »Welch ein Glück«, fuhr sie fort, »daß diesen Menschen sich so vieles in Genuß verwandelt, was uns wie harte, sklavische Arbeit und Qual erscheint. So gleicht sich im Leben vieles glücklich aus, was ohne diese sanfte Einigung höchst widerwärtig, selbst schrecklich werden könnte. Und haben wir es nicht selbst erlebt, daß auch die Armut ihre Reize hat?«

»Jawohl«, fiel Heinrich ein, indem er sich am Genuß des Fleisches erquickte, das er schon seit lange hatte entbehren müssen; »wüßten die Schlemmer und stets Übersatten, welch ein Wohlgeschmack, welche sanfte Würze auch dem Bissen des trocknen Brotes innewohnt, wie ihn nur der Arme, Hungernde zu würdigen weiß, sie würden ihn vielleicht beneiden und auf künstliche Mittel sinnen, um ebenfalls dieses Genusses teilhaft zu werden. Aber wie gut und glücklich trifft es sich, daß uns nach unsrer harten Tagesarbeit ein solches sardanapalisches Mahl zuteil geworden ist; so ergänzen sich unsre Kräfte wieder zu neuen Anstrengungen. Aber laß uns einmal recht übermütig sein und singe mir einige jener süßen Lieder, die mich immer so bezaubert haben.«

Sie tat gern, was er verlangte, und indem sie so, Hand in Hand und Auge in Auge, in der Nähe des Fensters saßen, bemerkten sie, wie die Eisblumen an den Scheiben aufzutauen begannen, sei es nun, daß die strenge Kälte etwas nachließ oder daß die Wärme, welche das harte Eichenholz verbreitete, mehr Gewalt auf jene Frostgewächse ausübte. »Sieh, meine Geliebte«, rief Heinrich aus, »wie das kalte, eisige Fenster in Rührung weint, vor deiner schönen Stimme zerschmelzend. Immer kehrt die alte Wundergeschichte vom Orpheus wieder.« –

Es war ein heller Tag, und sie erblickten einmal den blauen Himmel wieder; zwar nur einen sehr kleinen Teil, aber sie freuten sich des durchsichtigen Kristalls, und wie ganz dünne, feine, schneeweiße Wölkchen zerfließend durch das azurblaue Meer segelten und gleichsam mit Geisterarmen um sich griffen, als wenn sie sich behaglich und erfreut dort fühlen könnten.

Die uralte Hütte oder das kleine Haus war in dieser menschengedrängten Straße ein sehr sonderbares. Die Stube mit zwei Fenstern und die Kammer, die ein Fenster hatte, war der ganze Raum des Hauses. Unten wohnte sonst der alte, grämelnde Wirt, der aber, weil er Vermögen besaß, sich für den Winter nach einer andern

Stadt gewendet und dort einem befreundeten Arzte in die Kur gegeben hatte, weil er am Podagra litt. Der Erbauer dieser Hütte mußte von seltsamer, fast unbegreiflicher Laune gewesen sein; denn unter den Fenstern des zweiten Stocks, welchen die Freunde bewohnten, zog sich ein ziemlich breites Ziegeldach hervor, so daß es ihnen völlig unmöglich war, auf die Straße hinabzusehen. Waren sie auf diese Weise, auch wenn sie zur Sommerszeit die Fenster öffneten, völlig von allem Verkehr mit den Menschen abgeschnitten, so waren sie es auch durch das noch kleinere Haus, welches ihnen gegenüberstand. Dieses hatte nämlich nur Wohnungen zu ebner Erde; darum sahen sie dort niemals Fenster und Gestalten an diesen, sondern immer nur das ganz nahe, sich weit nach hinten streckende, schwarz geräucherte Dach und rechts und links die steilen, nackten Feuermauern von zwei höhern Häusern, die jene niedrige Hütte von beiden Seiten einfaßten. In den ersten Tagen des Sommers, als sie hier eben erst eingezogen waren, rissen sie, wie es den Menschen natürlich ist, wenn sich in der ganz engen Gasse Geschrei oder Zank vernehmen ließ, schnell die Fenster auf und sahen dann nichts als ihr Ziegeldach vor sich und das der Hütte gegenüber. Sie lachten jedesmal, und Heinrich sagte wohl: Wenn das Wesen des Epigramms (nach einer alten Theorie) in getäuschter Erwartung bestehe, so hätten sie wieder ein Epigramm genossen.

Nicht leicht ist es Menschen möglich gewesen, in einer so völlig abgeschlossenen Einsamkeit zu leben, als es diesen beiden hier gelang, am getümmelvollen Saum einer stets bewegten Residenz. So abgeschieden von aller Welt waren sie, daß es eine Begebenheit schien, wenn ein Kater einmal behutsam über das fremde Dach spazierte und jenseit, den spitzen Kamm der Ziegel sich hinüberfühlend, eine Bodenluke und dort einen Gevatter oder eine Gevatterin aufsuchte. Wie im Sommer die Schwalben aus dem angeklebten Neste in die Lücke der Feuermauer flogen und zwitschernd wiederkehrten, wie sie mit ihrer jungen Brut plauderten, war den Zuschauenden an ihrem Fenster eine wichtige Geschichte. Sie erschraken fast über das höchst bedeutsame Ereignis, als ein Knabe, ein Schornsteinfeger, sich einmal aus seinem engen, viereckigen Zwinger mit seinem Besen gegenüber erhob und einige Töne von sich gab, die ein Lied bedeuten sollten.

Diese Einsamkeit war den Liebenden aber doch erwünscht; denn so konnten sie am Fenster stehen, sich umarmend und küssend, ohne Furcht, daß irgendein neugieriger Nachbar sie beobachten möchte. So phantasierten sie denn oft, daß jene trübseligen Feuermauern Felsen seien einer wunderbaren Klippengegend der Schweiz, und nun betrachteten sie schwärmend die Wirkungen der Abendsonne, deren roter Schimmer an den Rissen zitterte, welche sich in dem Kalk oder rohen Stein gebildet hatten. Mit Sehnsucht konnten sie an solche Abende zurückdenken und sich dann aller der Gespräche erinnern, die sie geführt, der Gefühle, die sie gehabt, aller Scherze, die sie gewechselt hatten.

So war nun jetzt vorerst eine Waffe gegen den harten Frost gefunden, wenn er noch dauern oder gar zunehmen sollte. Da es dem Gatten nicht an Zeit fehlte, so erleichterte er sich sein Geschäft des Holzspaltens dadurch, daß er kleine Keile schnitt, die er in den Stamm trieb, und auf diese Weise den Kloben zwang, schneller und leichter nachzugeben.

Nach einigen Tagen fragte die Frau, indem sie seinem Keilschnitzen aufmerksam zusah: »Heinrich, wenn diese Holzmasse, die du hier aufgetürmt hast, nun auch verbraucht ist – wie dann?«

»Mein Herz«, erwiderte er, »der gute Horaz (wenn ich nicht irre) sagt unter andern seiner weisen Lehren einmal sehr kurz und bündig: ›Carpe diem!‹ Genieße den Tag, den du gerade vor dir hast, gib dich ihm ganz hin, bemächtige dich seiner als eines, der niemals wiederkehrt; das kannst du aber gar nicht vollständig, wenn du auch nur an ein mögliches Morgen denkst; geschieht dies gar mit Sorgen und Zweifeln, so ist dir ja der gegenwärtige Tag, diese Stunde, der du dich erfreust, schon verloren, indem du sie durch ängstliche Fragen dir verkümmerst. Wir kommen nur zum Bewußtsein der Gegenwart, wir können nur leben und glücklich sein, wenn wir uns ganz in diese stürzen. Sieh! so viel liegt in den zwei Worten dieser lateinischen Sprache, die darum wohl mit Recht eine bündige und energische genannt wird, weil sie mit so kleinen Lauten so vielerlei ausdrücken kann. Und kennst du nicht die Liederzeilen:

›Alle Sorgen
Nur auf morgen;
Sorgen sind für morgen gut.‹«

»Richtig!« erwiderte sie, »haben wir uns doch seit einem Jahre diese Philosophie zu eigen gemacht und befinden uns wohl dabei.«

So gingen die Tage hin, und diese jungen Eheleute entbehrten nichts im Gefühle ihres Glücks, obgleich sie wie die Bettler lebten. An einem Morgen sagte der Gatte: »Ich hatte in dieser Nacht einen wunderlichen Traum.«
»Erzähle ihn mir, Liebchen«, rief Clara; »wir geben auf unsere Träume viel zuwenig, die doch einen so wichtigen Teil von unserm Leben ausmachen. Ich bin überzeugt, wenn viele Menschen diese Erlebnisse der Nacht mehr in ihr Tagesleben hineinzögen, so würde ihnen auch ihr sogenanntes wirkliches Leben weniger traumartig und schlafbefangen sein. Außerdem gehören aber deine Träume mir; denn sie sind Ergüsse deines Herzens und deiner Phantasie, und ich könnte eifersüchtig auf sie werden, wenn ich denke, daß mancher Traum dich von mir trennt, daß du, in ihm verstrickt, mich auf Stunden

vergessen kannst oder daß du dich wohl gar, wenn auch nur in Phantasie, in ein andres Wesen verliebst. Ist dergleichen nicht schon eine wirkliche Untreue, wenn Gemüt und Einbildung auf dergleichen nur verfallen können?«

»Es kommt nur darauf an«, erwiderte Heinrich, »ob und inwiefern unsre Träume uns gehören. Wer kann sagen, wie weit sie die geheime Gestaltung unseres Innern enthüllen? Wir sind oft grausam, lügenhaft, feige im Traum, ja ausgemacht niederträchtig, wir morden ein unschuldiges Kind mit Freuden und sind doch überzeugt, daß alles dies unsrer wahren Natur fremd und widerwärtig sei. Die Träume sind auch sehr verschiedener Art. Wenn manche lichte an Offenbarung grenzen mögen, so erzeugen sich wohl andre aus Verstimmung des Magens oder andrer Organe. Denn diese wundersam komplizierte Mischung unsers Wesens von Materie und Geist, von Tier und Engel läßt in allen Funktionen so unendlich verschiedene Nuancen zu, daß über dergleichen sich am wenigsten etwas Allgemeines sagen läßt.«

»Oh, das Allgemeine!« rief sie aus, »die Maximen, die Grundregeln und wie das Zeug alles heißt: ich kann nicht aussprechen, wie alles der Art mir immer zuwider und unverständlich gewesen ist. In der Liebe wird uns jene Ahndung recht deutlich, die schon unsre Kindheit erleuchtet, daß das Individuelle, das Einzige, das Wesen, das Rechte, das Poetische und Wahre sei. Der alles allgemein machende Philosoph kann für alles eine Regel finden, er kann alles seinem sogenannten System einfügen, er zweifelt niemals, und seine Unfähigkeit, irgend etwas wahrhaft zu erleben, das ist eben jene Sicherheit, auf welche er pocht, jene Zweifelsunfähigkeit, die ihn so stolz macht. Der rechte Gedanke muß auch ein erlebter sein, die wahre Idee sich lebendig aus vielen Gedanken entwickeln und, plötzlich ins Sein getreten, rückstrahlend wieder tausend halbgeborne Gedanken erleuchten und beseelen. – Aber ich erzähle dir da meine Träume, und doch solltest du mir lieber den deinigen vortragen, der besser und poetischer sein wird.«

»Du beschämst mich in der Tat«, sagte Heinrich errötend, »weil du diesmal mein Traumtalent viel zu hoch anschlägst. Überzeuge dich selbst.

Ich war noch bei meinem ehemaligen Gesandten dort in der großen Stadt und in der vornehmen Umgebung. Man sprach bei Tische von einer Auktion, die nächstens stattfinden werde. Sooft das Wort ›Auktion‹ bei Tische nur genannt wurde, befiel mich eine unbeschreibliche Angst, und doch begriff ich nicht, warum. In meiner frühen Jugend war es meine Leidenschaft gewesen, bei Bücherauktionen zugegen zu sein, und wenn es mir auch fast immer unmöglich fiel, jene Werke, die ich liebte, zu erstehen, so hatte ich doch meine Freude daran, sie ausgeboten zu hören und mir die Möglichkeit zu denken, daß sie in meinen Besitz gelangen könnten. Die Kataloge der Auktionen konnte ich wie meine Lieblingsdichter lesen, und diese Torheit und Schwärmerei war nur eine von den vielen, an welchen meine Jugend litt; denn ich war weit von dem entfernt, was man einen soliden, verständigen Jüngling nennt, und ich zweifelte in einsamen Stunden oft, ob aus mir je ein sogenannter vernünftiger und brauchbarer Mann werden würde.«

Clara lachte laut auf, umarmte ihn dann und küßte ihn heftig. »Nein«, rief sie, »bis jetzt ist davon, dem Himmel sei Dank, noch nichts eingetroffen. Ich denke dich auch so in der Zucht zu halten, daß du nie auf dergleichen Laster geraten sollst. Nun aber weiter in deinem Traum!«

»Ich hatte mich denn auch«, fuhr Heinrich fort, »nicht ohne Not vor dieser Auktion geängstigt, denn wie es im Traum zu gehen pflegt, war ich plötzlich in dem Saal der Versteigerung, und wie ich zu meinem Erschrecken sah, gehörte ich zu den Sachen, die öffentlich ausgeboten werden sollten.«

Clara lachte wieder. »Oh, das ist hübsch«, rief sie aus.

»Das wäre ein ganz neues Mittel, unter die Leute zu kommen.«

»Ich fand es gar nicht erfreulich«, antwortete der Mann. »Es lagen und standen da allerhand alte Sachen und Möbeln umher, dazwischen saßen alte Weiber, Tagediebe, elende Schriftsteller, Libellisten, verdorbene Studenten und Komödianten: Alles dies sollte nun heut dem Meistbietenden zugeschlagen werden, und ich war mitten unter diesen verstäubten Altertümlichkeiten. Im Saale saßen manche von meinen Bekannten, und einige von diesen betrachteten die ausgestellten Sachen und Menschen mit Kennerblicken. Ich war unendlich beschämt. Endlich kam der Auktionator, und ich erschrak, als wenn ich zur Hinrichtung geführt würde.

Der ernsthafte Mann setzte sich, räusperte und begann sein Amt damit, daß er zuerst nach mir griff, um mich auszubieten. Er stellte mich vor sich hin und sagte: ›Sehn meine Herrschaften hier einen noch ziemlich gut konservierten Diplomaten, etwas eingeschrumpft und abgerissen, von Würmern und Motten hier und da zernagt, aber doch noch brauchbar als Kaminschirm, um gegen zu große Flamme und Hitze zu schützen und abzukühlen, oder um ihn als Karyatide zu nutzen und ihm etwa eine Uhr auf den Kopf zu stellen. Auch kann man ihn vor das Fenster hängen, daß er die Witterung anzeigt. Es ist ihm selbst noch ein klein wenig Verstand geblieben, so daß er auf alltägliche Dinge, wenn die Frage nicht zu tief geht, ganz leidlich antworten und darüber sprechen kann. Wie hoch wollen Sie auf ihn bieten?‹

Keine Antwort im Saal. Der Auktionator rief: ›Nun, meine Herren und Damen? Er kann ja in einem Gesandtschaftslokal noch Türsteher werden; er könnte ja als Kronleuchter in der Entree angehangen werden und die Kerzen mit Armen, Beinen und auf dem Kopfe tragen. Es ist ja ein lieber, anstelliger Mensch. Wenn eine Herrschaft eine Hausorgel besitzen sollte, kann er auch die Balgen treten; seine Beine, wie Sie sehen, sind ja noch

von leidlicher Beschaffenheit.‹ – Aber immer keine Antwort. – Ich fühlte mich im Zustand der tiefsten Erniedrigung, und meine Beschämung war ohne Grenzen; denn manche meiner Bekannten sahen grinsend und schadenfroh nach mir, manche lachten, andre zuckten die Schultern wie in tief verachtendem Mitleid. Mein Bedienter kam jetzt zur Tür herein, und ich trat einen Schritt vor, um ihm einen Auftrag zu geben, aber der Auktionator stieß mich heftig mit den Worten zurück: ›Still, altes Möbel! Kennt Er die Pflichten seines Standes so wenig? Hier ist seine Bestimmung, sich ruhig zu halten. Das wäre mir, wenn die Auktionsstücke selbständig werden wollten!‹ – Wieder auf eine neue Anfrage antwortete niemand. – ›Der Lump ist nichts wert‹, hörte man aus einem Winkel; ›wer wird auf den Taugenichts etwas bieten?‹ sagte ein andrer. Mir trat der Angstschweiß auf die Stirn. Ich winkte meinem Bedienten mit den Augen, daß er eine Kleinigkeit bieten möchte; denn, so dachte ich ganz vernünftig, hat mich der Mensch nur erst erstanden und ich bin aus dem verfluchten Saal, so werde ich mich draußen schon mit meinem Diener abfinden, da wir uns kennen; ich will ihm seine Auslage wiedererstatten und ein Trinkgeld noch obendrein verabreichen. Der mochte aber kein Geld bei sich haben oder mein Winken nicht verstehen, vielleicht, daß ihm diese ganze Anstalt unbekannt und unbegreiflich war; genug, er rührte sich nicht von seinem Platze. Der Auktionator war verdrüßlich, er winkte seinem Gehülfen und sagte zu diesem: ›Holt mir Nummer 2, 3 und 4 aus der Kammer.‹ Der starke Mensch brachte drei zerlumpte Kerle, und der Ausrufer sprach: ›Da man auf diesen Diplomaten gar nichts bieten will, so vereinigen wir ihn mit diesen drei Tagesschriftstellern, einem abgestandenen Redakteur eines Wochenblatts, einem, der Korrespondenzartikel schrieb, und diesem Theaterkritiker – was wird nun für diese Bande zusammengenommen geboten?‹
Ein alter Trödler rief, nachdem er eine Weile die Hand an

die Stirn gelegt hatte: ›Einen Groschen!‹ Der Auktionator fragte: ›Einen Groschen also? Niemand mehr? Einen Groschen zum ersten‹ – er erhob den Hammer. Da rief ein kleiner schmutziger Judenjunge: ›Einen Groschen sechs Pfennige.‹ Der Auktionator wiederholte das Gebot zum ersten, zum zweitenmal, schon wollte das dritte Wort mit dem Hammer mich zusamt jenen Gesellen dem kleinen Israeliten zuschlagen, als sich die Tür öffnete und du, Clara, in voller Herrlichkeit mit einem großen Gefolge von vornehmen Damen hereintratest, indem du gebieterisch mit stolzer Miene und Stellung ›Halt!‹ riefest. Alle erschraken und verwunderten sich, und mein Herz war in Freude bewegt. ›Meinen eignen Mann verauktionieren?‹ sagtest du mit Unwillen; ›wieviel ist bis jetzt geboten?‹ Der alte Ausrufer verbeugte sich sehr tief, setzte einen Stuhl für dich hin und sagte hochrot vor Verlegenheit: ›Bis jetzt haben wir einen und einen halben Groschen im Angebot auf Dero Herrn Gemahl.‹

Du sagtest: ›Ich biete aber nur allein auf meinen Mann und begehre, daß jene Personen wieder entfernt werden. Achtzehn Pfennige für den unvergleichlichen Mann! Unerhört! Ich setze gleich zum Anfang tausend Taler.‹ – Ich war erfreut, aber auch erschrocken; denn ich begriff nicht, woher du die Summe nehmen wolltest. Indessen wurde ich von dieser Angst bald befreit, da eine andere hübsche Dame gleich zweitausend bot. Nun entstand unter den reichen und vornehmen Weibern ein Wettstreit und Eifer, mich zu besitzen. Die Gebote folgten immer schneller, bald war ich auf zehn- und nicht lange nachher auf zwanzigtausend gestiegen. Mit jedem Tausend erhob ich mich mehr, stand stolz und gerade und ging dann mit großen Schritten hinter dem Tische und meinem Auktionator auf und ab, der es nun nicht mehr wagte, mich zur Ruhe zu verweisen. Verachtende Blicke schoß ich nun auf jene Bekannten, die vorher von Lump und Taugenichts gemurmelt hatten. Alle sahen jetzt mit Verehrung nach mir hin, besonders weil der enthusiastische Wettstreit der Damen zunahm, statt sich zu mäßigen. Eine alte, häßliche Frau schien es darauf angelegt zu haben, mich nicht zu lassen; ihre rote Nase wurde immer glühender, und sie war es, die mich nun schon bis hunderttausend Taler hinaufgetrieben hatte. Es herrschte eine Totenstille, eine feierliche Stimme ließ sich vernehmen: ›So hoch ist in unserm Jahrhundert noch niemals ein Mann geschätzt worden! Ich sehe jetzt ein, daß er für mich zu kostbar ist.‹ Als ich mich umsah, wurde ich gewahr, daß dieses Urteil von meinem Gesandten herrührte. Ich begrüßte ihn mit einer gnädigen Miene. Um es kurz zu machen, mein Wert erhob sich bis zu zweimal hunderttausend Talern und etlichen darüber, und für diesen Preis wurde ich endlich jener rotnasigen alten, häßlichen Dame zugeschlagen.

Als die Sache endlich entschieden war, erhob sich ein großer Tumult, weil jeder das ausbündige Stück in der Nähe betrachten wollte. Wie es kam, ist nicht zu sagen, aber die große Summe, für die ich erstanden war, wurde mir, gegen alle Gesetze der Auktion, eingehändigt.

Als ich nun aber fortgeschleppt werden sollte, da tratest du hervor und riefst: ›Noch nicht! Da man meinen Gemahl so gegen alle christliche Sitte öffentlich verauktioniert und verkauft hat, so will ich mich auch demselben harten Schicksal unterwerfen. Ich stelle mich also hiemit freiwillig unter den Hammer des Herrn Auktionators.‹ Der Alte beugte und krümmte sich, du begabst dich hinter den langen Tisch, und alle Menschen betrachteten deine Schönheit mit Bewunderung. Das Bieten fing an, und die jungen Herren trieben dich gleich hoch hinauf. Ich hielt mich anfangs zurück, teils vor Erstaunen, teils aus Neugier. Als die Summen schon in die Tausende hineingestiegen waren, ließ sich auch meine Stimme vernehmen. Wir kamen immer höher hinauf, und mein Gesandter geriet so in Eifer, daß ich beinahe die Fassung verloren hätte; denn es erschien mir schändlich, daß dieser ältliche Mann mir auf diese Weise meine angetraute Gattin rauben wollte. Er bemerkte auch meinen Mißmut; denn er sah mich immer scheel von der Seite und mit einem boshaften Lächeln an. Es drangen immer mehr reiche Kavaliere herein, und hätte ich nicht die ganz ungeheure Summe in meinen Taschen gehabt, so mußte ich dich verlorengeben. Es kitzelte mich nicht wenig, daß ich dir meine Liebe in größerem Maße zeigen konnte, als du mir bewiesen, denn bald nach deinem Angebot von tausend Talern hattest du mich schweigend dem Glück der Auktion und jener rotnasigen Dame überlassen, die jetzt verschwunden schien, denn ich sah sie nirgend mehr. Nun waren wir schon weit über hunderttausend Taler, du nicktest mir immer freundlich über den Tisch zu, und da ich mich im Besitz des mächtigen Kapitals befand, brachte ich durch Hinauftreiben alle meine Nebenbuhler zur Verzweiflung. So setzte ich es hohnlachend und mit Übermut durch. Alle verstummten endlich in Verdruß, und du wurdest mir zugeschlagen. Ich triumphierte. Ich zahlte die Summe hin – aber – o weh! ich hatte im Taumel nicht beachtet, wieviel ich für mich selbst gewonnen hatte, und jetzt fehlten beim Auszahlen noch viele Tausende. Meine Verzweiflung diente den andern nur zum Spott. Du rangst die Hände. So wurden wir in ein dunkles Gefängnis geschleppt und mit schweren Ketten belastet. Wir erhielten zur Nahrung nur Wasser und Brot, und ich mußte darüber lachen, daß das eine Strafe vorstellen sollte, da wir schon ziemlich lange hier oben nicht mehr genossen hatten und diese Speisung für ein Festmahl hielten. So verwirrt sich im Traume alles durcheinander, frühere Zeit und gegenwärtige, Nähe und Ferne. Der Kerkermeister erzählte uns, daß die Richter uns zum Tode verdammt; denn wir hätten hinterlistig das königliche Ärar und die öffentliche Einkünfte defraudiert, das Vertrauen des Publikums betrogen und den Kredit des Staates untergraben. Es sei ein furchtbarer Betrug, sich so teuer auszubieten und sich mit solchen großen Summen bezahlen zu lassen, die dadurch der Konkurrenz und dem allgemeinen Nutzen entzogen würden. Dem Patriotismus, wo jedes Individuum sich unbedingt dem Ganzen opfern müsse, laufe es gradezu entgegen, und unser Attentat sei also als offenbarer Hochverrat zu betrachten. Der alte Auktionator werde mit uns zugleich hingerichtet werden, denn er sei mit im Komplott und habe auch dazu beigetragen, die Summen der Bietenden so hoch hinaufzutreiben, weil er uns beide übermäßig und ganz der Wahrheit entgegen den Kauflustigen als Wunderwerke der Schöpfung herausgestrichen habe. Es sei nun alles entdeckt, daß wir, mit den auswärtigen Mächten und den Feinden des Landes verbunden, einen allgemeinen Staatsbankerott hätten herbeiführen wollen. Denn es sei augenscheinlich, wenn auf den einzelnen, der obendrein keine Verdienste besitze, so ungeheure Summen verwendet werden sollten, so bleibe nichts für das Ministerium, die Schulen und Universitäten und selbst für Zucht- und Armenhäuser übrig. Gleich nachdem wir fortgegangen, hätten sich zehn Edelleute und funfzehn angesehene Fräulein verauktionieren lassen, und die Gelder seien ebenfalls dem Staatsschatz und den Einkünften entzogen worden. Aller moralische Wert ginge bei so bösen, verderblichen Beispielen unter, und die Schätzung der Tugend verschwinde, wenn Individuen so taxiert und übermäßig hoch geschätzt würden. Das alles kam mir ganz vernünftig vor, und ich bereute es jetzt, daß durch mein Verschulden diese Verwirrung habe entstehen können.

Als wir zur Hinrichtung hinausgeführt wurden – erwachte ich und fand mich in deinen Armen. –«

»Nachdenklich ist die Geschichte in der Tat«, antwortete Clara; »sie ist, nur in ein etwas grelles Licht gestellt, die Geschichte vieler Menschen, die sich alle so teuer wie möglich verkaufen. Diese wunderliche Auktion geht freilich durch die Einrichtung aller Staaten.«

»Nachdenklich ist dieser dumme Traum auch mir«,

erwiderte Heinrich; »denn die Welt hat mich und ich habe die Welt in dem Grade verlassen, daß kein Mensch meinen Wert mit irgendeiner namhaften Summe würde taxieren wollen. Mein Kredit in dieser ganzen großen Stadt erstreckt sich nicht auf einen Groschen; ich bin ganz ausdrücklich das, was die Welt einen Lumpen nennt. Und doch liebst du mich, du kostbares, herrliches Wesen! Und wenn ich wieder bedenke, wie die teuerste und künstlichste Spinnmaschine nur grob und roh eingerichtet ist gegen das Wunder meines Blutumlaufes, der Nerven, des Gehirnes, und wie dieser Schädel, der, wie die meisten glauben, seinen Unterhalt nicht wert ist, große, edle Gedanken fassen kann, vielleicht auf eine neue Erfindung stößt, so möchte ich darüber lachen, daß Millionen diese Organisation nicht aufwägen, die auch der Klügste und Stolzeste nicht hervorzubringen imstande ist. Wenn unsre Köpfe aneinanderrücken, die Schädel sich berühren und die Lippen sich aufeinanderpressen, um einen Kuß entstehen zu lassen, so ist es fast unbegreiflich, welche künstlich verflochtene Mechanik dazu gehört, welche Überwindung von Schwierigkeiten, und wie nun diese Verbindung von Gebein und Fleisch, von Häuten und Lymphen, von Blut und Feuchtigkeit sich gegenseitig in Tätigkeit setzt, um dem Spiel der Nerven, dem feinen Sinn und noch unbegreiflicheren Geiste diesen Genuß des Kusses zuzuführen. Wenn man der Anatomie des Auges folgen will, auf wie Seltsames, Wunderliches, Widriges stößt die Beobachtung, um aus diesem glänzenden Schleime und milchigen Gerinne die Göttlichkeit des Blicks herauszufinden.«

»O laß das«, sagte sie, »das alles sind gottlose Reden.«

»Gottlose?« fragte Heinrich verwundert.

»Ja, ich weiß sie nicht anders zu nennen. Mag es die Pflicht des Arztes sein, sich, seiner Wissenschaft zulieb, aus dieser Täuschung herauszureißen, die uns die Erscheinung und das verhüllte Innere bietet. Auch der Forscher wird aus der Täuschung der Schönheit nur in eine andre Täuschung geraten, die er vielleicht Wissen, Erkennen, Natur betitelt. Zerstört aber bloßer Vorwitz, freche Neugier oder höhnender Spott alle diese Netze und körperlichen Träume, in welchen Schönheit und Anmut gefangenliegen, so nenne ich das einen gottlosen Witz, wenn es überall einen solchen geben kann.«

Heinrich war still und in sich gekehrt. »Du magst wohl recht haben«, sagte er nach einer Pause. »Alles, was unser Leben schön machen soll, beruht auf einer Schonung, daß wir die liebliche Dämmerung, vermöge welcher alles Edle in sanfter Befriedigung schwebt, nicht zu grell erleuchten. Tod und Verwesung, Vernichtung und Vergehen sind nicht wahrer als das geistdurchdrungene, rätselhafte Leben. Zerquetsche die leuchtende, süßduftende Blume, und der Schleim in deiner Hand ist weder Blume noch Natur. Aus der göttlichen Schlafbetäubung, in welche Natur und Dasein uns einwiegen, aus diesem Poesieschlummer sollen wir nicht erwachen wollen, im Wahn, jenseit die Wahrheit zu finden.«

»Fällt dir das schöne Wort nicht ein?« sagte sie:

»Und wie der Mensch nur sagen kann: ›Hier bin ich‹;

Daß *Freunde* seiner *schonend* sich erfreun! –«

»Sehr wahr!« rief Heinrich! – »Selbst der vertraute Freund, der Liebende, muß den geliebten Freund *schonend* lieben, *schonend* das Geheimnis des Lebens mit ihm träumen, und in gegenseitiger inniger Liebe die Täuschung der Erscheinung nicht zerstören wollen. Es gibt aber so plumpe Gesellen, die unter dem Vorwande, der Wahrheit zu leben und einzig ihr zu huldigen, nur Freunde haben wollen, um etwas zu besitzen, was sie *nicht* zu schonen brauchen. Nicht bloß, daß diese Gesellen immerdar mit schlechtem Witz und Schraubereien in den sogenannten Freund hineinbohren: auch dessen Schwächen, Menschlichkeiten, Widersprüche sind der Gegenstand ihrer lauernden Beobachtung. Die Grundlage des menschlichen Daseins, die Bedingungen unsrer

Existenz sind aber nun so feine und leise Schwingungen, daß grade diese von jenen hartfäustigen Kameraden in plumper Berührung nur Schwächen genannt werden. Es muß sich nun bald ergeben, daß alle Tugenden und Talente, wegen welcher man anfangs diesen Freund verehrte und aufsuchte, sich in Schwächen, Fehler und Torheiten verwandeln, und widersetzt sich endlich der edlere Geist und will die Mißhandlung nicht länger erdulden, so ist er nach dem Ausspruch der Rohen eitel, eigensinnig, rechthaberisch; er ist einer, der zu kleinlich fühlt, um die Wahrheit ertragen zu können; und die Gemeinsamkeit wird endlich aufgelöst, die sich niemals hätte zusammenfinden sollen. Wenn es sich aber mit Natur, Menschen, Liebe und Freundschaft so verhält, wird es wohl auch mit jenen mystischen Gegenständen, dem Staate, der Religion und der Offenbarung nicht anders sein. Die Einsicht, daß einzelne Mißbräuche da sind, die der Verbesserung bedürfen, gibt noch kein Recht, das Geheimnis des Staates selbst anzurühren. Will man die religiöse Ehrfurcht vor dieser mächtigen, übermenschlichen Zusammensetzung und Aufgabe, durch welche der Mensch in vielfach geordneter Gesellschaft nur zum echten Menschen werden kann, will man jene heilige Scheu vor Gesetz und Obrigkeit, vor König und Majestät, zu nahe an das Licht einer vorschnellen, oft nur anmaßlichen Vernunft ziehen, so zerstäubt die geheimnisvolle Offenbarung des Staates in ein Nichts, in Willkür. Ist es mit der Kirche, der Religion, der Offenbarung und diesen heiligen Geheimnissen anders beschaffen? Auch hier muß eine stille Dämmerung, ein zartes Gefühl der Schonung das Heiligtum umschweben. Weil es heilig und göttlicher Natur ist, ist auch nichts so wohlfeil, als mit frechem Witz der Verleugnung hineinzuleuchten, um dem Sinn des Unbegabten, der keine Glaubensfähigkeit besitzt, das fromme Gewebe als nüchternen Trug hinzustellen oder den Schwachen in seinen besten Gefühlen irrezumachen. Es könnte unbegreiflich scheinen, wie allenthalben in unsern Tagen der Sinn für ein großes Ganze, für das Unteilbare, welches nur durch göttlichen Einfluß entstehen konnte, sich verloren hat. Immer wird, wie in Gedichten, Kunstwerken, Geschichte, Natur und Offenbarung, nur dies und jenes, nur das einzelne bewundert und gelobt; schärfer noch das einzelne getadelt, was im großen ganzen, wenn es ein Kunstwerk ist, doch nur so sein kann, wie es ist, wenn jenes Gelobte möglich sein soll. Sucht und Kraft zu vernichten ist aber gradezu der Gegensatz alles Talentes und wird endlich zur Unfähigkeit, irgend die Erscheinung in ihrer Fülle zu verstehen. Immer ›Nein‹ sprechen ist gar nicht sprechen.«

So vergingen den Vereinsamten, Verarmten und doch Glücklichen Tage und Wochen. Die dürftigste Nahrung fristete ihr Leben, aber im Bewußtsein ihrer Liebe war keine Entbehrung, auch der drückendste Mangel nicht fähig, ihre Zufriedenheit zu stören. Um in diesem Zustande fortzuleben, war aber der sonderbare Leichtsinn dieser beiden Menschen notwendig, die alles über der Gegenwart und dem Augenblick vergessen konnten. Der Mann stand jetzt immer früher auf als Clara; dann hörte sie ihn hämmern und sägen und fand die Stücke Holz vor dem Ofen zurechtgelegt, welche sie zum Einheizen brauchte. Sie verwunderte sich, daß dieses gespellte Holz seit einiger Zeit eine ganz andre Form, Farbe und andres Wesen hatte, als sie es bis dahin gewohnt war. Da sie indessen immer Vorrat fand, so unterließ sie jede Betrachtung, indem die Gespräche, Scherze und Erzählungen beim sogenannten Frühstück ihr viel wichtiger waren.

»Die Tage werden schon länger«, fing er an; »bald wird nun die Frühlingssonne auf das Dach da drüben scheinen.«

»Jawohl«, sagte sie, »und die Zeit wird nicht mehr fern

sein, wo wir das Fenster wieder aufmachen, uns daran setzen und die frische Luft einatmen. Das war im vorigen Sommer gar so schön, als wir vom Park draußen sogar hier den Duft der Lindenblüte spürten.«

Sie holte zwei kleine Töpfchen herbei, die mit Erde gefüllt waren und in welchen sie Blumen aufzog. »Sieh!« fuhr sie fort, »diese Hyazinthe und diese Tulpe kommen nun doch heraus, die wir schon verloren gaben. Wenn sie gedeihen, so will ich es als ein Orakel ansehen, daß sich auch unser Schicksal bald wiederum zum Bessern kehren wird.«

»Aber, Liebchen«, sagte er etwas empfindlich, »was geht uns denn ab? Haben wir nicht bis jetzt noch Überfluß an Feuer, Brot und Wasser? Das Wetter wird augenscheinlich milder, wir werden des Holzes weniger bedürfen, nachher kommt die Sommerwärme. Zu verkaufen haben wir freilich nichts mehr, aber es wird, es muß sich irgendein Weg auftun, auf welchem ich etwas verdienen kann. Bedenke nur unser Glück, daß keines von uns krank geworden ist, auch die alte Christine nicht.«

»Wer steht uns aber für die getreuste Dienerin?« antwortete Clara; »ich habe sie nun seit so lange nicht gesehen; du fertigst sie jetzt immer des Morgens schon früh ab, wenn ich noch schlafe; du nimmst dann von ihr das eingekaufte Brot sowie den Wasserkrug. Ich weiß, daß sie oft für andre Familien arbeitet; alt ist sie, ihre Nahrung nur eine dürftige, wenn also ihre Schwäche zunimmt, so kann sie leicht erkranken. Warum ist sie nicht schon längst wieder einmal zu uns heraufgekommen?«

»Je nun«, sagte Heinrich nicht ohne einige Verlegenheit, welche Clara auch bemerkte und die ihr auffallen mußte, »es wird sich wohl bald wieder eine Gelegenheit finden, warte nur noch einige Zeit.«

»Nein, Liebster!« rief sie mit ihrer Lebhaftigkeit aus, »du willst mir etwas verbergen, es muß etwas vorgefallen sein. Du sollst mich nicht abhalten, ich will gleich selbst hinuntergehen, ob sie etwa in ihrem Kämmerchen ist, ob sie leidet, ob sie unzufrieden mit uns sein mag.«

»Du hast diese fatale Treppe schon seit so lange nicht betreten«, sagte Heinrich; »es ist finster draußen, du könntest fallen.«

»Nein«, rief sie, »du sollst mich nicht zurückhalten; die Treppe kenne ich; ich werde mich in der Finsternis schon zurechtfinden.«

»Da wir aber das Geländer verbraucht haben«, sagte Heinrich, »welches mir damals als ein Überfluß erschien, so fürchte ich jetzt, da du dich nicht anhalten kannst, daß du stolpern und stürzen könntest.«

»Die Stufen«, erwiderte sie, »sind mir bekannt genug, sie sind bequem, und ich werde sie noch oft betreten.«

»Diese Stufen«, sagte er mit einiger Feierlichkeit, »wirst du niemals wieder betreten!«

»Mann!« rief sie aus und stellte sich gerade vor ihn hin, um ihm in die Augen zu sehen – »es ist nicht richtig hier im Hause; du magst reden, was du willst, ich laufe schnell hinab, um selber nach Christinen zu sehen.«

So wandte sie sich um, die Tür zu öffnen, er aber stand eilig auf und umschlang sie, indem er ausrief: »Kind, willst du mutwillig den Hals brechen?«

Da es nicht mehr zu verschweigen war, öffnete er selber die Tür; sie traten auf den Vorplatz, und indem sie weitergingen und der Gatte die Frau noch immer umfaßt hielt, sah diese, daß keine Treppe mehr da war, die hinabführen sollte. Sie schlug verwundert in die Hände, bog sich hinüber und schaute hinab; dann kehrte sie um, und als sie wieder in der verschlossenen Stube waren, setzte sie sich nieder, um den Mann genau zu betrachten. Dieser hielt ihrem forschenden Auge ein so komisches Gesicht entgegen, daß sie in ein lautes Gelächter ausbrach. Hierauf ging sie nach dem Ofen, nahm eins der Hölzer in die Hände, betrachtete es genau von allen Seiten und sagte dann: »Ja, nun begreife ich freilich, warum die Heizstücke so ganz andre Statur hatten als die vorigen. Also die Treppe haben wir nun auch verbrannt!«

»Jawohl«, antwortete Heinrich jetzt ruhig und gefaßt; »da du es nun einmal weißt, wirst du es ganz vernünftig finden. Ich begreife auch nicht, warum ich es dir bisher verschwiegen habe. Sei man auch noch so sehr alle Vorurteile los, so bleibt irgendwo doch noch ein Stückchen hangen, und eine falsche Scham, die im Grunde kindisch ist! Denn erstlich warst du das Wesen in der Welt, das mir am vertrautesten ist; zweitens das einzige, denn mein Sechzehntel-Umgang mit der alten Christine ist nicht zu rechnen; drittens war der Winter immer noch hart und kein andres Holz aufzutreiben; viertens war die Schonung fast lächerlich, da das allerbeste, härteste, ausgetrocknete, brauchbarste dicht vor unsern Füßen lag; fünftens brauchten wir die Treppe gar nicht, und sechstens ist sie schon, bis auf wenige Reliquien, ganz verbrannt. Du glaubst aber nicht, wie schlecht sich diese alten, ausgebogenen, widerspenstigen Stufen sägen und zersplittern ließen. Sie haben mich so warm gemacht, daß mir die Stube oft nachher zu heiß dünkte.«

»Aber Christine?« fragte sie.

»O die ist ganz gesund«, anwortete der Mann. »Alle Morgen lasse ich ihr einen Strick hinunter, woran sie dann ihr Körbchen bindet; das zieh ich herauf und nachher den Wasserkrug, und so geht unsre Haushaltung ganz ordentlich und friedlich. – Als unser schönes Treppengeländer sich zum Ende neigte und immer noch keine warme Luft eintreten wollte, sann ich nach, und es fiel mir ein, daß unsre Treppe recht gut die Hälfte ihrer Stufen hergeben könnte; denn es war doch nur ein Luxus, ein Überfluß, so gut wie die dicke Lehne, daß der Stufen bloß der Bequemlichkeit wegen so viele waren. Schritt man höher aus, wie man in manchen Häusern muß, so konnte der Treppenmaschinist mit der Hälfte ausreichen. Mit Christinens Hülfe, die mit ihrem philosophischen Geiste sogleich die Richtigkeit meiner Behauptung einsah, brach ich nun die unterste Stufe los, dann, indem sie mir nachschritt, die dritte, fünfte und so fort. Unser Grabstichel nahm sich, als wir diese Filigranarbeit geendigt hatten, recht gut aus. Ich sägte, zerschnitt, und du heiztest in deiner Arglosigkeit mit den Stufen ebenso geschickt und wirksam, als du es vordem mit dem Geländer getan hattest. Aber unserer durchbrochenen Arbeit drohte von der unermüdlichen Winterkälte ein neuer Angriff. Was war diese ehemalige Treppe überhaupt noch als eine Art von Kohlenbergwerk, eine Grube, die ihre Steinkohlen jetzt lieber ganz und auf einmal zutage fördern konnte? Ich stieg demnach in den Schacht hinab und rief die alte, verständige Christine. Ohne nur zu fragen, teilte sie gleich meine Ansicht; sie stand unten, ich brach mit großer Anstrengung, da sie mir nicht helfen konnte, die zweite Stufe los. Als ich diese der vierten anvertraut hatte, reichte ich der guten Alten den Abgrund hinunter die Hand zum ewigen Abschied; denn diese ehemalige Treppe sollte uns nun niemals wieder verknüpfen oder zueinander führen. So zerstörte ich sie denn nicht ohne Mühsal am Ende völlig, immer die geretteten Tritte oder Stufen nach den übrigen noch vorhandenen obern Stufen hinaufführend. Jetzt hast du das vollendete Werk angestaunt, mein herziges Kind, und siehst nun wohl ein, daß wir uns zur Zeit noch mehr als sonst selbst genügen müssen. Denn wie möchte es doch eine Kaffeegesellschaft anfangen, mit ihren Nachrichten hier zu dir hinaufzudringen? Nein, ich bin dir, du bist mir genug; der Frühling kommt, du stellst deine Tulpe und Hyazinthe an das Fenster, und wir sitzen hier,

›Wo uns die Gärten der Semiramis
Auf zu den Wolken steigenden Terrassen,
In bunter Sommerpracht entgegenlachen
Mit dem Geplätscher ihrer spielenden Brunnen!
Den langen Sommer durch soll dort auf uns
Ein paradiesisch Liebesleben taun!

Dort auf der höchsten der Terrassen will ich,
Von dunkel glühnden Rosen überlaubt,
An deiner Seite sitzen, uns zu Füßen
Die heißbesonnten Dächer Babylons. —‹

Ich glaube, unser Freund Uechtritz hat das ganz eigen auf unsern Zustand hier gedichtet. Denn, sieh nur, dort sind die heißbesonnten Dächer, wenn nämlich erst die Sonne im Julius wieder scheinen wird, wie wir doch hoffen dürfen. Ist nun erst deine Tulpe und Hyazinthe in Blüte geraten, so haben wir hier wirklich und anschaulich die fabelhaften hängenden Gärten der Semiramis, und noch viel wunderbarer als jene; denn wer nicht Flügel hat, kann gar nicht hieher zu ihnen gelangen, wenn wir ihm nicht hülfreiche Hand bieten und etwa eine Strickleiter präparieren.«

»Wir leben eigentlich«, erwiderte sie, »ein Märchen, leben so wunderlich, wie es nur in der Tausendundeinen Nacht geschildert werden kann. Aber wie soll das in der Zukunft werden; denn diese sogenannte Zukunft rückt doch irgend einmal in unsre Gegenwart hinein.«

»Sieh, herzlichstes Herz«, sagte der Mann, »wie du nun wieder von uns beiden die Prosaische bist. Um Michaelis reisete unser alter, grämlicher Hauswirt nach jener entfernten Stadt, um bei seinem Doktorfreunde Hülfe oder Erleichterung für sein Podagra zu suchen. Wir waren damals so unermeßlich reich, daß wir ihm nicht nur die vierteljährliche Miete, sondern sogar die Vorausbezahlung bis Ostern geben konnten, was er mit schmunzelndem Danke annahm. Von ihm haben wir also bis nach Ostern wenigstens nichts zu besorgen. Der eigentliche, strenge Winter ist bereits vorüber, Holz werden wir nicht mehr viel brauchen, und im äußersten Fall sind uns immer noch die vier Stufen zum Boden hinauf übrig, und unsre Zukunft schläft dort noch sicher in mancher alten Tür, den Brettern des Fußbodens, den Bodenluken und manchen Utensilien. Darum getrost, meine Liebe, und laß uns recht heiter des Glückes genießen, daß wir hier von aller Welt so völlig abgetrennt sind, von keinem Menschen abhängig und keines Menschen bedürftig. So ganz eine Lage, wie der weise Mann sie sich immer gewünscht hat und wie nur wenige und Seltene glücklich genug sind, sich aneignen zu können.« – –

Aber es kam dennoch anders, als er vorausgesetzt hatte. Als sie am nämlichen Tage kaum ihre dürftige Mahlzeit beschlossen hatten, fuhr ein Wagen vor das kleine Haus. Man hörte das Rasseln der Räder, das Anhalten des Fuhrwerks, das Aussteigen von Personen. Das seltsam vorgebaute Dach hinderte freilich die beiden Eheleute, zu erfahren, wer oder was die Ankommenden sein möchten. Es wurde abgepackt, so viel konnten sie vernehmen, und den Gatten überschlich jetzt die bängliche Vermutung, daß es denn doch wohl der grämliche Hausherr sein könne, der früher, als man berechnet, den Anfall des Podagra möchte überstanden haben.

Es war deutlich zu hören, der Angekommene richtete sich unten ein, und so konnte kein Zweifel bleiben, wer er sei. Koffer wurden abgepackt und in das Haus geschafft, verschiedene Stimmen redeten durcheinander, man begrüßte sich mit den Nachbarn. Es war ausgemacht, Heinrich würde noch heut einen Kampf zu bestehen haben. Er horchte mißtrauisch hinunter und blieb an der nur angelehnten Tür stehen. Clara sah ihn mit einem fragenden Blick an; er aber schüttelte lächelnd mit dem Kopfe und blieb stumm. Unten wurde alles ganz still; der Alte hatte sich in sein Zimmer zurückgezogen.

Heinrich setzte sich zu Clara hin und sagte mit etwas unterdrückter Stimme: »Es ist in der Tat verdrüßlich, daß nur sehr wenige Menschen so viel Phantasie wie der große Don Quixote besitzen. Als man diesem sein Bücherzimmer vermauert hatte und ihm erklärte, ein Zauberer habe ihm nicht nur seine Bibliothek, sondern auch die ganze Stube zugleich hinweggeführt, so begriff er sogleich, ohne nur zu zweifeln, die ganze Sache. Er war nicht so prosaisch, sich zu erkundigen, wo denn ein so ganz abstraktes Ding, wie der Raum, hingekommen sei. Was ist Raum? Ein Unbedingtes, ein Nichts, eine Form der Anschauung. Was ist eine Treppe? Ein Bedingtes, aber nichts weniger als ein selbständiges Wesen, eine Vermittelung, eine Veranlassung, von unten nach oben zu gelangen, und wie relativ sind selbst diese Begriffe von oben und unten. Der Alte wird es sich nimmermehr ausreden lassen, daß dort nur jetzt eine Lücke ist, ehemals eine Treppe gestanden habe; er ist gewiß zu empirisch und rationalistisch, um einzusehen, daß der wahre Mensch und die tiefere Intuition der gewöhnlichen Übergänge jener armseligen, prosaischen Approximation einer so gemeinen Stufenleiter der Begriffe nicht bedarf. Wie soll ich ihm das alles von meinem höhern Standpunkte auf seinem niedern da unten deutlich machen? Er will sich auf die alte Erfahrung des Geländers stützen und zugleich gemächlich eine Staffel nach der andern zur Höhe des Verständnisses abschreiten, und er wird unsrer unmittelbaren Anschauung niemals folgen können, die wir unter uns alle diese trivialen Erfahrungs- oder Ergehungssätze abgebrochen und dem reinsten Erkennen nach alter Parsenlehre durch die reinigende und erwärmende Flamme geopfert haben.«

»Ja, ja«, sagte Clara lächelnd, »phantasiere und witzle nur; das ist der wahre Humor der Ängstlichkeit.«

»Niemals«, fuhr er fort, »will das Ideal unsrer Anschauung mit der trüben Wirklichkeit ganz aufgehen. Die gemeine Ansicht, das Irdische will immerdar das Geistige unterjochen und beherrschen. –«

»Still!« sagte Clara, »unten rührt es sich wieder.«

Heinrich stellte sich wieder an seine Tür und öffnete sie ein wenig. »Ich muß doch einmal meine lieben Mietsleute besuchen«, sagte man unten ganz deutlich; »ich hoffe, die Frau ist noch ebenso hübsch, und die beiden Leutchen sind noch so gesund und heiter wie sonst.« – »Jetzt wird er«, sagte Heinrich leise, »an das Problem geraten.«

Eine Pause. Der Alte tappte unten in der Dämmerung umher. »Was ist denn das?« hörte man ihn sagen; »wie bin ich denn in meinem eignen Hause so fremd geworden? Hier nicht – da nicht – was ist denn das? – Ulrich! Ulrich, hilf mir doch einmal zurecht.«

Der alte Diener, der in seiner kleinen Wirtschaft alles in allem war, kam aus der Kammer herbei. »Hilf mir doch einmal die Treppe hinauf«, sagte der Hauswirt, »ich bin ja wie verhext und verblindet, ich kann die großen, breiten Stufen nicht finden. Was ist denn das?«

»Nun, kommen Sie nur, Herr Emmerich«, sagte der mürrische Hausknecht, »Sie sind noch vom Fahren etwas duselig.«

»Der da«, bemerkte Heinrich oben, »gerät auf eine Hypothese, die ihm nicht standhalten wird.«

»Schwerenot!« schrie Ulrich, »ich habe mir hier den Kopf zerstoßen; ich bin ja auch wie verdummt; es ist fast, als wenn uns das Haus nicht leiden wollte.«

»Er will es sich«, sagte Heinrich, »durch das Wunderbare erklären; so tief liegt in uns der Hang zum Aberglauben.«

»Ich fasse rechts, ich fasse links«, sagte der Hausbesitzer, »ich greife nach oben – ich glaube beinah, der Teufel hat die ganze Treppe geholt.«

»Fast«, sagte Heinrich, »die Wiederholung aus dem Don Quixote; sein Untersuchungsgeist wird sich aber damit nicht zufriedengeben; es ist im Grunde auch falsche Hypothese, und der sogenannte Teufel wird oft nur eingeschoben, weil wir eine Sache nicht begreifen, oder was wir begreifen, uns in Zorn versetzt.«

Man hörte unten nur murmeln, leise fluchen, und der verständige Ulrich war still fortgegangen, um ein brennendes Licht zu holen. Dieses hielt er jetzt mit starker Faust empor und leuchtete in den leeren Raum hinein. Emmerich blickte verwundernd hinauf, stand eine Weile mit aufgesperrtem Munde, starr vor Schrecken und Erstaunen, und schrie dann mit den lautesten Tönen, deren seine Lunge fähig war: »Donnerwetter noch einmal! Das ist mir ja eine verfluchte Bescherung! Herr Brand! Herr Brand da oben!«

Jetzt half kein Verleugnen mehr, Heinrich ging hinaus, beugte sich über den Abgrund und sah beim ungewissen Schein des flackernden Lichtes die beiden dämonischen Gestalten in der Dämmerung des Hausflurs. »Ach! wertgeschätzter Herr Emmerich«, rief er freundlich hinab, »sei'n Sie uns willkommen; es ist ein schönes Zeichen Ihres Wohlseins, daß Sie früher ankommen, als Sie es sich vorgesetzt hatten. Es freut mich, Sie so gesund zu sehen.«

»Gehorsamer Diener!« antwortete jener – »aber davon ist hier die Rede nicht. Herr! wo ist meine Treppe geblieben?«

»Ihre Treppe, verehrter Herr?« erwiderte Heinrich; »was gehn mich denn Ihre Sachen an. Haben Sie sie mir bei Ihrer Abreise aufzuheben gegeben?«

»Stellen Sie sich nicht so dumm«, schrie jener – »wo ist die Treppe hier geblieben? Meine große, schöne, solide Treppe?«

»War hier eine Treppe?« fragte Heinrich; »ja, mein Freund, ich komme so wenig oder vielmehr gar nicht aus, daß ich von allem, was nicht in meinem Zimmer vorgeht, gar keine Notiz nehme. Ich studiere und arbeite und kümmere mich um alles andre gar nicht.«

»Wir sprechen uns, Herr Brand«, rief jener, »die Bosheit erstickt mir die Zunge und Rede; aber wir sprechen uns noch ganz anders! Sie sind der einzige Hausbewohner; vor Gericht werden Sie mir schon melden müssen, was dieser Handel zu bedeuten hat.«

»Sei'n Sie nicht so böse«, sagte Heinrich jetzt; »wenn Ihnen an der Geschichtserzählung etwas liegt, so kann ich Ihnen auch schon jetzt damit dienen; denn allerdings erinnre ich mich jetzt, daß vormals hier eine Treppe war, auch bin ich nun eingeständig, daß ich sie verbraucht habe.«

»Verbraucht?« schrie der Alte und stampfte mit den Füßen; »meine Treppe? Sie reißen mir mein Haus ein?«

»Bewahre«, sagte Heinrich, »Sie übertreiben in der Leidenschaft; Ihr Zimmer unten ist unbeschädigt, so steht das unsre hier oben blank und unberührt, nur diese arme Leiter für Emporkömmlinge, diese Unterstützungsanstalt für schwache Beine, dieses Hülfsmittel und diese Eselsbrücke für langweilige Besuche und schlechte Menschen, diese Verbindung für lästige Eindringlinge, diese ist durch meine Anstalt und Bemühung, ja schwere Anstrengung allerdings verschwunden.«

»Aber diese Treppe«, schrie Emmerich hinauf, »mit ihrer kostbaren, unverwüstlichen Lehne, mit diesem eichenen Geländer, diese zweiundzwanzig breiten, starken, eichenen Stufen waren ja ein integrierender Teil meines Hauses. Habe ich noch, so alt ich bin, von einem Mietsmann gehört, der die Treppen im Hause verbraucht, als wenn es Hobelspäne oder Fidibus wären?«

»Ich wollte, Sie setzten sich«, sagte Heinrich, »und hörten mich ruhig an. Diese Ihre zweiundzwanzig Stufen lief oft ein heilloser Mensch herauf, der mir ein kostbares Manuskript abschwatzte, es drucken wollte, sich dann für bankrott erklärte und auf und davon ging. Ein andrer Buchhändler stieg unermüdet diese Ihre eichenen Stufen hinauf und stützte sich dabei immer auf jenes starke Geländer, um sich den Gang bequemer zu machen; er ging und kam und kam und ging, bis er, meine Verlegenheit grausam benutzend, mir die erste kostbare Edition meines Chaucer abdrang, die er für mehr als einen Spottpreis, für einen wahren Schandpreis, in seinen Armen davontrug. Oh, mein Herr, wenn man solche bittere Erfahrungen macht, so kann man wahrlich eine Treppe nicht liebgewinnen, die es solchen Gesellen so übermäßig erleichtert, in die obern Etagen zu dringen.«

»Das sind ja verfluchte Gesinnungen«, schrie Emmerich.

»Bleiben Sie gelassen«, sprach Heinrich etwas lauter hinunter. »Sie wollten ja den Zusammenhang der Sache erfahren. Ich war betrogen und hintergangen; so groß unser Europa ist, Asien und Amerika nicht einmal zu rechnen, so erhielt ich doch von nirgend her Rimessen, es war, als wenn alle Kredite sich erschöpft hätten und alle Banken leer geworden wären. Der überharte, unbarmherzige Winter forderte Holz zum Einheizen; ich hatte aber kein Geld, um es auf dem gewöhnlichen Wege einzukaufen. So verfiel ich denn auf diese Anleihe, die man nicht einmal eine gezwungene nennen kann. Dabei glaubte ich nicht, daß Sie, geehrter Herr, vor den warmen Sommertagen wiederkommen würden.«

»Unsinn!« sagte jener, »glaubten Sie denn, Armseliger, daß meine Treppe bei der Wärme wie der Spargel von selbst wieder herauswachsen würde?«

»Ich kenne die Natur eines Treppengewächses zu wenig, wie ich auch von Tropenpflanzen nur geringe Kenntnisse habe, um das behaupten zu mögen«, antwortete Heinrich. »Ich brauchte indes das Holz höchst nötig, und da ich gar nicht ausging, meine Frau ebensowenig, auch kein Mensch zu mir kam, weil bei mir nichts mehr zu gewinnen war, so gehörte diese Treppe durchaus zu den Überflüssigkeiten des Lebens, zum leeren Luxus, zu den unnützen Erfindungen. Ist es, wie so viele Weltweise behaupten, edel, seine Bedürfnisse einzuschränken, sich selbst zu genügen, so hat dieser für mich völlig unnütze Anbau mich vor dem Erfrieren gerettet. Haben Sie niemals gelesen, wie Diogenes seinen hölzernen Becher wegwarf, als er gesehen, wie ein Bauer Wasser mit der hohlen Hand schöpfte und so trank?« –

»Sie führen aberwitzige Reden, Mann«, erwiderte Emmerich; »ich sah einen Kerl, der hielt die Schnauze gleich an das Rohr und trank so Wasser; somit hätte sich Ihr Mosje Diogenes auch noch die Hand abhauen können. – Aber, Ulrich, lauf mal gleich zur Polizei; das Ding muß einen andern Haken kriegen.« –

»Übereilen Sie sich nicht«, rief Heinrich, »Sie müssen einsehen, daß ich Ihr Haus durch diese Hinwegnahme wesentlich verbessert habe.«

Emmerich, der schon nach der Haustür ging, kehrte wieder um. »Verbessert?« schrie er in höchster Bosheit; »nun, das wäre mir denn doch etwas ganz Neues!«

»Die Sache ist jedoch ganz einfach«, erwiderte ihm Heinrich, »und jeder kann sie einsehen. Nicht wahr, Ihr Haus steht nicht in der Feuerkasse? Nun hatte ich zeither böse Träume von Brandunglück, auch fielen Häuserbrände hier in der Nachbarschaft vor; ich hatte eine ganz bestimmte Ahndung, ja ich möchte es ein Vorauswissen nennen, daß unser Haus hier dasselbe Unglück betreffen würde. Gibt es nun wohl (das frage ich jeden Bauverständigen) etwas Ungeschickteres als eine hölzerne Treppe? Die Polizei sollte dergleichen gefährliches Bauwerk gradezu verbieten. Sooft ein Feuer auskommt, so ist in allen Städten, wo dieser Mißbrauch noch stattfindet, immer die hölzerne Treppe das allergrößte Unheil. Sie leitet das Feuer nicht nur in alle Stockwerke, sondern macht auch oft die Rettung der Menschen unmöglich. Da ich nun gewiß wußte, daß binnen kurzem hier oder in der Nachbarschaft Feuer auskommen würde, so habe ich mit vieler Mühe und saurem Schweiß diese elende, verderbliche Treppe mit eignen Händen weggebrochen, um das Unglück und den Schaden so viel als möglich zu mildern. Und darum hatte ich sogar auf Ihren Dank gerechnet.«

»So?« rief Emmerich hinauf; »wäre ich länger ausgeblieben, so hätte mir der saubre Herr wohl aus eben den spitzigen Gründen mein ganzes Haus verbraucht. Verbraucht! Als wenn man Häuser so verbrauchen dürfte! Aber wart, Patron! – Ist die Polizei da?« fragte er den wiederkehrenden Ulrich.

»Wir legen«, rief Heinrich hinab, »eine große, steinerne

Treppe, und Ihr Palais, geehrter Mann, gewinnt dadurch ebensosehr wie die Stadt und der Staat.«

»Mit der Windbeutelei soll es bald zu Ende sein«, antwortete Emmerich und wendete sich sogleich an den Führer, der mit verschiedenen Gehülfen der Polizei herbeigekommen war.

»Mein Herr Inspektor«, sagte er, sich zu diesem wendend, »haben Sie je von dergleichen Attentat gehört? Mir aus meinem Hause die große, schöne Treppe wegzubrechen und sie als Klafterholz im Ofen während meiner Abwesenheit zu verbrennen!«

»Das wird in die Stadtchronik kommen«, erwiderte der Anführer trotzig, »und der saubere Patron, der Treppenräuber, in das Zuchthaus oder auf die Festung. Das ist schlimmer als Einbruch! Den Schaden muß er außerdem noch ersetzen. Kommen Sie nur herunter, Herr Missetäter!«

»Niemals«, sagte Heinrich; »wohl hat der Engländer ein Recht, sein Haus ein Kastell zu nennen, und meines hier ist ganz unzugänglich und unüberwindlich; denn ich habe die Zugbrücke aufgezogen.«

»Dem läßt sich abhelfen!« rief der Anführer. »Leute, schafft mal eine große Feuerleiter herbei; so steigt ihr dann hinauf und schleppt, wenn er sich wehren sollte, den Verbrecher mit Stricken gebunden herunter, um ihn seiner Strafe zu überliefern.«

Jetzt hatte sich das Haus unten schon mit Leuten aus der Nachbarschaft gefüllt; Männer, Weiber und Kinder hatte der Tumult herbeigelockt, und viele Neugierige standen auf der Gasse, um zu erforschen, was hier vorgehe, und zu sehen, was aus dem Handel sich ergeben werde. Clara hatte sich an das Fenster gesetzt und war verlegen, doch hatte sie ihre Fassung behalten, da sie sah, daß ihr Gatte so heiter blieb und sich die Sache nur wenig anfechten ließ. Doch begriff sie nicht, wie es endigen werde. Heinrich aber kam jetzt einen Augenblick zu ihr herein, um sie zu trösten und etwas aus der Stube zu holen. Er sagte:

»Clara, schau, wir sind jetzt ebenso eingeschlossen wie unser Götz in seinem Jagsthausen; der widerwärtige Trompeter hat mich auch schon aufgefordert, mich auf Gnade und Ungnade zu ergeben, und ich werde ihm jetzt Antwort sagen, aber bescheidentlich, nicht wie mein großes Vorbild von damals.« Clara lächelte ihm freundlich zu und sagte nur die wenigen Worte: »Dein Schicksal ist das meinige; ich glaube aber doch, daß, wenn mein Vater mich jetzt sähe, er mir verzeihen würde.«

Heinrich ging wieder hinaus, und als er sah, daß man wirklich eine Leiter herbeischleppen wollte, sagte er mit feierlichem Ton: »Meine Herren, bedenken Sie, was Sie tun, ich bin seit Wochen schon auf alles, auf das Äußerste gefaßt, ich werde mich nicht gefangengeben, sondern mich bis auf den letzten Blutstropfen verteidigen. Hier bringe ich zwei Doppelflinten, beide scharf geladen, und noch mehr, diese alte Kanone, ein gefährliches Feldstück voller Kartätschen und gehacktem Blei, zerstossenem Glas und derlei Ingredienzen. Pulver, Kugeln, Kartätschen, Blei, alles Nötige ist im Zimmer aufgehäuft; während ich schieße, ladet meine tapfere Frau, die als Jägerin wohl damit umzugehen weiß, die Stücke aufs neue, und so rücken Sie denn an, wenn Sie Blut vergießen wollen.«

»Das ist ja ein Erzsakermenter«, sagte der Polizeianführer, »ein solcher resoluter Verbrecher ist mir seit lange nicht vor die Augen gekommen. Wie mag er nur aussehen; denn man kann in diesem dunkeln Neste keinen Stich sehen.«

Heinrich hatte zwei Stäbe und einen alten Stiefel auf den Boden niedergelegt, die ihm für Kanone und Doppelflinten gelten mußten. Der Polizeimann winkte, daß sich die Leiter wieder entfernen solle; »hier ist wohl der beste Rat, Herr Emmerich«, setzte er dann hinzu, »daß wir den ungeratenen Abällino aushungern; so muß er sich uns ergeben.«

»Weit gefehlt!« rief Heinrich mit heiterer Stimme hinab;
»auf Monate sind wir mit getrocknetem Obst, Pflaumen,
Birnen, Äpfeln und Schiffszwieback versehen; der Winter ist ziemlich vorüber, und sollte es uns an Holz
gebrechen, so ist oben noch die Bodenkammer; da finden
sich alte Türen, überflüssige Dielen, selbst vom Dach-
stuhle kann gewiß manches als entbehrlich losgebrochen
werden.«

»Hören Sie den Heidenkerl!« rief Emmerich; »erst reißt
er mir unten mein Haus ein, nun will er sich auch noch
oben an das Dach machen.«

»Es ist über die Beispiele«, sagte der Polizeiwächter.
Viele von den Neugierigen freuten sich über Heinrichs
Entschlossenheit, weil sie dem geizigen Hausbesitzer
dieses Ärgernis gönnten. »Sollen wir das Militär kommen lassen, auch mit geladenen Flinten?«

»Nein! Herr Inspektor, um des Himmels willen nicht;
darüber würde mir am Ende mein Häuschen in Grund
und Boden geschossen, und ich hätte das leere Nachse-
hen, wenn wir den Rebellen auch endlich bezwungen
hätten.«

»Richtig«, sagte Heinrich, »und haben Sie nebenher
vergessen, was seit vielen Jahren in allen Zeitungen steht?
Der erste Kanonenschuß, er falle, wo er wolle, wird ganz
Europa in Aufruhr setzen. Wollen Sie nun, Herr Polizeimann, die ungeheure Verantwortung auf sich nehmen,
daß aus dieser Hütte, der engsten und finstersten Gasse
der kleinen Vorstadt, die ungeheure europäische Revolution sich herauswickeln soll? Was würde die Nachwelt
von Ihnen denken? Wie könnten Sie diesen Leichtsinn
vor Gott und Ihrem Könige verantworten? Und doch
sehen Sie hier schon die geladene Kanone liegen, welche
die Umwandlung des ganzen Jahrhunderts herbeiführen
kann.«

»Er ist ein Demagog und Carbonari«, sagte der Polizeianführer, »das hört man nun wohl an seinen Reden. Er
steckt in den verbotenen Gesellschaften und rechnet in

seiner Frechheit auf auswärtige Hülfe. Möglich, daß unter diesem lärmenden und gaffenden Haufen schon viele seiner Gesellen verkleidet lauern, die nur auf unsern Angriff warten, um uns dann mit ihrem Mordgewehr in den Rücken zu fallen.«

Als diese Müßiggänger erlauschten, daß die Polizei sich vor ihnen fürchte, erhoben sie in ihrer Schadenfreude ein lautes Geschrei, die Verwirrung vermehrte sich, und Heinrich rief seiner Gattin zu: »Bleibe heiter, wir gewinnen Zeit und können gewiß kapitulieren, wenn nicht vielleicht gar ein *Sickingen* kommt, uns zu erlösen.«

»Der König, der König!« hörte man jetzt von der Straße her das laute Geschrei. Alles sprang zurück und durcheinander; denn eine glänzende Equipage suchte sich in der engen Gasse Bahn zu machen. Livreebedienten in betreßten Kleidern standen hinten auf, ein glänzender, geschickter Kutscher lenkte die Rosse, und aus dem Wagen stieg ein prächtig gekleideter Herr mit Orden und Stern.

»Wohnt hier nicht ein Herr Brand?« fragte der vornehme Mann; »und was hat dieser Auflauf zu bedeuten?«

»Sie wollen da drin, Ew. Durchlaucht«, sagte ein kleiner Krämer, »eine neue Revolution anfangen, und die Polizei ist dahintergekommen; es wird auch gleich ein Regiment von der Garde einrücken, weil sich die Rebellen nicht ergeben wollen.«

»Es ist halt eine Sekte, Exzellenz«, rief ein Obsthöker; »sie wollen als gottlos und überflüssig alle Treppen abschaffen.«

»Nein, nein!« schrie eine Frau dazwischen, »er soll vom heiligen Sänkt Simon abstammen, der Empörer; alles Holz, sagt er, und alles Eigentum soll gemeinschaftlich sein, und die Feuerleiter haben sie schon geholt, um ihn gefangenzunehmen.«

Es war dem Fremden schwer, in die Tür des Hauses zu gelangen, obgleich ihm alles Platz machen wollte. Der alte Emmerich trat ihm entgegen und berichtete auf

Nachfrage mit vieler Höflichkeit die Lage der Dinge, und wie man noch nicht einig sei, auf welche Weise man des großen Verbrechers habhaft werden könne. Der Fremde schritt jetzt tiefer in den dunklen Hausflur hinein und rief mit lauter Stimme: »Wohnt denn hier wirklich ein Herr Brand?«

»Jawohl«, sagte Heinrich; »wer ist da unten Neues, der nach mir fragt?«

»Die Leiter her!« sagte der Fremde, »daß ich hinaufsteigen kann.«

»Das werde ich jedem unmöglich machen«, rief Heinrich; »es hat kein Fremder hier oben bei mir etwas zu suchen, und keiner soll mich molestieren.«

»Wenn ich aber den Chaucer wiederbringe?« rief der Fremde, »die Ausgabe von Caxton, mit dem beschriebenen Blatt des Herrn Brand?«

»Himmel!« rief dieser, »ich mache Platz, der gute Engel, der Fremde, mag heraufkommen. – Clara!« rief er seiner Frau fröhlich, aber mit einer Träne entgegen, »unser Sickingen ist wirklich angelangt!«

Der Fremde sprach mit dem Wirt und beruhigte ihn völlig, die Polizei ward entlassen und belohnt, am schwersten aber war es, das aufgeregte Volk zu entfernen; doch als endlich auch dies gelungen war, schleppte Ulrich die große Leiter herbei, und der vornehme Unbekannte stieg allein zur Wohnung des Freundes hinauf.

Lächelnd sah sich der Fremde im kleinen Zimmer um, begrüßte höflich die Frau und stürzte dann dem seltsam bewegten Heinrich in die Arme. Dieser konnte nur das eine Wort: »Mein Andreas!« hervorbringen. Clara sah nun ein, daß dieser rettende Engel jener Jugendfreund, der vielbesprochene Vandelmeer sei.

Sie erholten sich von der Freude, von der Überraschung. Das Geschick Heinrichs rührte Andreas tief; dann mußte er über die seltsame Verlegenheit und die Aushülfe lachen, dann bewunderte er wieder die Schönheit Claras, und beide Freunde konnten es nicht müde werden, die

Erinnerung jugendlicher Szenen wiederzubeleben und in diesen Gefühlen und Rührungen zu schwelgen.

»Aber nun laß uns auch vernünftig sprechen«, sagte Andreas. »Dein Kapital, welches du mir damals bei meiner Abreise anvertrautest, hat in Indien so gewuchert, daß du dich jetzt einen reichen Mann nennen kannst; du kannst also jetzt unabhängig leben, wie und wo du willst. In der Freude, dich bald wiederzusehen, stieg ich in London ans Land, weil ich dort einige Geldgeschäfte zu berichtigen hatte. Ich verfüge mich wieder zu meinem Bücherantiquar, um für deine Liebhaberei an Altertümern ein artiges Geschenk auszusuchen. Sieh da, sage ich zu mir selber, da hat ja jemand den Chaucer in demselben eigensinnigen Geschmack binden lassen, wie ich die Art damals für *dich* ersann. Ich nehme das Buch in die Hand und erschrecke, denn es ist das deinige. Nun wußte ich schon genug und zu viel von dir; denn nur Not hatte dich bewegen können, es wegzugeben, wenn es dir nicht gestohlen war. Zugleich fand ich, und zu unser beider Glück, ein Blatt von deiner Hand vorn beschrieben, in welchem du dich unglücklich und elend nanntest, mit dem Namen ›Brand‹ unterzeichnetest und Stadt, Gasse und Wohnung anzeigtest. Wie hätte ich, bei deinem veränderten Namen, bei deiner Verdunklung, dich jemals auffinden können, wenn dieses liebe, teure Buch dich mir nicht verraten hätte. So empfange es denn zurück zum zweiten Male und halte es in Ehren, denn dies Buch ist wunderbarerweise die Treppe, die uns wieder zueinander geführt hat. – Ich kürze in London meinen Aufenthalt ab, ich eile hieher – und erfahre vom Gesandten, der seit acht Wochen schon von seinem Monarchen hiehergeschickt ist, daß du seine Tochter entführt hast.«

»Mein Vater hier?« rief Clara erblassend.

»Ja, meine gnädige Frau«, fuhr Vandelmeer fort, »aber erschrecken Sie nicht; noch weiß er es nicht, daß Sie sich in dieser Stadt befinden. – Der alte Mann bereut jetzt seine Härte, er klagt sich selber an und ist untröstlich, daß er jede Spur von seiner Tochter verloren hat. Längst hat er ihr verziehen, und mit Rührung erzählte er mir, daß du völlig verschollen seist, daß er trotz aller eifrigen Nachforschung nirgend eine Spur von dir habe entdekken können. – Es ist nur begreiflich, Freund, wenn man sieht, wie du, fast wie ein thebaischer Einsiedler oder wie jener Simeon Stylites, zurückgezogen gelebt hast, daß keine Nachricht, keine Zeitung zu dir gedrungen ist, um dir zu sagen, daß dein Schwiegervater dir ganz nahe lebt, und wie froh bin ich, daß ich hinzusetzen kann, dir versöhnt. Ich komme eben von ihm her, aber ohne ihm gesagt zu haben, daß ich die fast gewisse Hoffnung hegte, dich heut noch zu sehn. Er wünscht, wenn du dich mit der Tochter wiederfindest, daß du auf seinen Gütern lebst, da du gewiß selbst nicht in deine frühere Karriere zurücktreten möchtest.«

Alles war Freude. Den beiden Eheleuten war die Aussicht, wieder anständig und in behaglicher Wohlhabenheit zu leben, wie dem Kinde die Weihnachtbescherung. Gern ließen sie die notgedrungene Philosophie der Armut fahren, deren Trost und Bitterkeit sie bis auf den letzten Tropfen ausgekostet hatten.

Vandelmeer führte sie in der Kutsche erst nach seiner Wohnung, wo man sogleich für anständige Kleider sorgte, um sich in diesen dem versöhnten Vater vorzustellen. Daß die alte, getreue Christine nicht vergessen wurde, bedarf wohl keiner Erinnerung. Sie war in ihrer Art ebenso glücklich wie ihre Herrschaft.

Nun sah man in der kleinen Gasse Maurer, Zimmerleute und Tischler tätig. Lachend führte der alte Emmerich die Aufsicht über diese Wiederherstellung und den Bau seiner neuen Treppe, die, ungeachtet der Anmahnungen Heinrichs, doch wieder eine hölzerne war. Sein Verlust war ihm so reichlich und großmütig vergütet worden, daß der alte Geldsammler sich oft fröhlich die Hände rieb und gern wieder einen abenteuerlichen Mietsmann ähnlicher Gesinnung in seine Wohnung genommen hätte. – –

Nach drei Jahren empfing der alte Zusammengekrümmte mit vielen verlegnen Scharrfüßen und übertriebenen Verbeugungen eine vornehme Herrschaft, die in einer reichen Equipage ankam und die er selber die neue Treppe in das kleine Quartier hinaufführte, das jetzt ein armer Buchbinder bewohnte. Claras Vater war gestorben, sie war mit ihrem Gatten von den fernen Gütern hereingekommen, um den Verscheidenden noch einmal zu sehen und seinen Segen zu empfangen. Arm in Arm standen sie jetzt am kleinen Fenster, sahen wieder nach dem roten und braunen Dache hinüber und beobachteten wieder jene traurigen Feuermauern, in denen der Sonnenschein wie damals spielte. Diese Szene ihres vormaligen Elends und zugleich unendlichen Glücks rührte sie innigst. – Der Buchbinder war eben beschäftigt, die zweite Auflage jenes Werkes, was dem Verarmten gewissenlos war geraubt worden, für eine Lesebibliothek einzubinden. »Das ist ein sehr beliebtes Buch«, äußerte er bei seiner Arbeit, »und wird noch mehr Editionen erleben.«

»Unser Freund Vandelmeer erwartet uns«, sagte Heinrich und bestieg, nachdem er den Handwerker beschenkt hatte, mit der Gattin den Wagen. Beide sannen nach über den Inhalt des menschlichen Lebens, dessen Bedürfnis, Überfluß und Geheimnis. – –

Anmerkungen

3,21 *Konsistorium*: (lat.) damals kirchliche Behörde, jedoch mit Staatsbeamten als Angestellten, für das Kirchenregiment des Landesherrn.

3,23 *Emissär*: (lat.) Abgesandter.

4,22 ›*Siebenkäs*‹: Jean Pauls Roman *Blumen-, Frucht- und Dornenstücke oder Ehestand, Tod und Hochzeit des Armenadvokaten F. St. Siebenkäs im Reichsmarktflecken Kuhschnappel* (1796/97) wurde von Tieck besonders geschätzt. Siebenkäs, seine Frau Lenette und sein Freund und Doppelgänger Leibgeber sind die Hauptgestalten des Romans, der in der Verbindung humoristischer, realistischer und visionär-traumhafter Elemente von Einfluß auf Tiecks späteren Erzählstil war.

7,14 *Cour*: (frz.) Hof.

7,25 *Surrogat*: (lat.) Ersatz, Behelf.

8,21 *Raleigh*: Sir Walter R. (1552–1618), englischer Admiral im Kampf gegen die spanische Flotte und Leiter der ersten Kolonisationsversuche in Nordamerika. Tieck nimmt irrtümlich an, er habe die Kartoffel nach Europa gebracht. Dieses Verdienst gebührt jedoch Admiral Sir Francis Drake (um 1540–96).

8,37–9,1 *der elfte Ludwig*: König Ludwig XI. von Frankreich (1461–83).

9,22 f. *Eispalast in Petersburg*: Zarin Anna Iwanowna ließ im Winter 1740 in Petersburg auf dem zugefrorenen Eis der Newa einen künstlichen Palast aus Eis errichten, in dem Feste des Hofes gefeiert wurden.

11,9 f. *Orakel*: (lat.) geheimnisvolle Weissagungen.

12,28 f. *Chaucer ... Caxton*: Die *Canterbury Tales* von Geoffrey Chaucer (um 1340–1400) erschienen 1474 bei Caxton in Westminster als einer der ältesten Drucke Englands, von dem nur noch zwei Exemplare erhalten sind.

17,13 f. »*Sine Baccho et Cerere friget Venus*«: leicht verändertes Zitat aus der Komödie *Der Eunuch* (4,5,6) des Terenz: Ohne Bacchus (den Gott des Weines) und Ceres (die Göttin des Getreides) bleibt Venus (die Göttin der Liebe) kalt.

19,20 *Kasus*: (lat.) Fall.

22,6 f. *Lear Cordelien*: In Shakespeares *König Lear* teilt Lear, König von Britannien, sein Reich vorzeitig an seine drei Töchter auf; dabei stellt er ihre Liebe zu ihm auf die Probe, und geblendet

65

von den einschmeichelnden Heucheleien der beiden älteren, ent-
erbt und verstößt er die jüngste, Cordelia.

22,13 *Caliban ... Stefano*: Gestalten aus Shakespeares *Sturm*. Der
Sklave Caliban ist ein Halbmensch im Dienste des zauberkundi-
gen Prospero, Stefano ein betrunkener Kellner, der auf die
Zauberinsel verschlagen worden ist.

24,1 *Birnams Wald*: Shakespeare, *Macbeth* V,3–5.

28,10 *sardanapalisches Mahl*: nach dem assyrischen König Sardana-
pal (griech.) oder Assurbanipal (assyr.; 669 – um 630 v. Chr.), der
in der klassischen Überlieferung als Typ des orientalischen Wol-
lüstlings erscheint; üppiges Mahl.

28,36 *grämelnde*: mißmutige.

29,2 *Podagra*: (griech./lat.) Fußgicht.

30,34 ›*Carpe diem!*‹: Horaz, *Carmina* 1,11,8: »carpe diem quam
minimum credula postero«: greif diesen Tag, nimmer traue dem
nächsten!

31,12–14 ›*Alle Sorgen ... gut*‹: Bätely in Goethes Singspiel *Jery und
Bätely* (1779).

34,6 *Libellisten*: (lat.) Verfasser von Schmähschriften.

34,23 *Karyatide*: (griech.) in antiker Architektur Stützpfeiler in
Form einer weiblichen, langgewandeten Figur.

34,37 *Balgen*: (Blase-)Bälge.

38,33 *Ärar*: (lat.) Vermögen.

38,34 *defraudiert*: (lat.) unterschlagen, veruntreut.

41,21–23 »*Und wie ... erfreun!*«: Goethe, *Tasso* I,3.

43,26 *gespellte*: gespaltene, zerlegte.

47,31–48,4 ›*Wo uns ... Babylons*‹: Die Verse sind ein Zitat aus dem
Trauerspiel *Alexander und Darius* (1826) von Friedrich von
Uechtritz, einem Schüler und Freund Tiecks.

48,15 *präparieren*: (lat.) herstellen, fertigen.

48,22 *Michaelis*: Michaelstag, 29. September.

50,14 *Approximation*: (lat.) Annäherung(sbestimmung).

50,23 *Parsenlehre*: die nach dem Untergang des Sassanidenreiches
(226–650) bei den Parsen (in Indien und Persien) entwickelte
Form der Lehre Zarathustras, nach der das heilige Feuer als
Symbol des Schöpfergottes Ahura Masda die zentrale Stellung im
Kult einnimmt.

51,15 *duselig*: schwindlig.

53,21 *Fidibus*: Holzspäne zum Feueranzünden.

54,7 *Rimessen*: Rimesse (lat./ital.): Übersendung eines Wechsels zur
Begleichung einer Schuld.

54,37 *Mosje*: Monsieur (frz.), Herr.

55,11 *zeither*: seither.

57,19 *Kartätschen*: Geschosse aus Blechbüchsen mit lockerer Ku-
gelfüllung.

57,36 *Aballino*: Held des Romans *Aballino, der große Bandit* (1793)
von Heinrich Zschokke.

58,12 *über die Beispiele*: ohne Beispiel.

58,35 *Carbonari*: Mitglied des politischen Geheimbundes *Carbone-
ria* in Italien zur Zeit des Risorgimento (1815–70).

59,14 *Equipage*: (frz.) Kutsche.

59,15 *Livreebedienten*: Bediente in Livree (frz.), einer uniformähn-
lichen Kleidung.

59,16 *betreßten*: mit Litzen (Tressen) versehenen.

59,22 *Ew.*: Euer.

59,27 *Obsthöker*: Obsthändler.

59,31 *Sänkt Simon*: Verballhornung des Namens des frühsozialisti-
schen französischen Schriftstellers Claude-Henri de Saint-Simon
(1760–1825). Die Saint-Simonisten spielten vor allem nach der
Juli-Revolution 1830 in Paris eine Rolle. Die Frau aus dem Volk
mißversteht den Namen als den eines Heiligen.

60,13 *molestieren*: (lat.) belästigen.

62,7 *thebaischer Einsiedler*: nach *Thebais*, der altgriechischen
Bezeichung für das Gebiet um Theben in Oberägypten, wo sich
seit dem 4. Jh. zahlreiche Einsiedler und Mönche niederließen.

62,8 *Simeon Stylites*: Symeon Stylites d. Ä. (um 390–459), syrischer
Mönchasket, der erste Stylit (Säulenheiliger, von griech. *style*
›Säule‹), der sein Leben auf einer Säule zubrachte, um Gott näher
zu sein.

62,9 *Zeitung*: Nachricht; hier: Botschaft.

Nachwort

Es ist eine bedenkenswerte Tatsache der Literaturgeschichte, daß eine der stärksten Quellen der deutschen Romantik in Berlin entsprang. Dem Charakter der Metropole auf dem Sandboden der Mark und dem ›verwegenen Schlag‹ ihrer Bevölkerung mit dem raschen Mutterwitz, dem nüchternen Tatsachensinn und dem puritanisch-hugenottischen Einschlag in Lebenshaltung und Arbeitsethos scheint auf den ersten Blick das so ahnungsvoll dem Unendlichen, dem Traum und allen Geheimnissen der Welt und Überwelt aufgeschlossene Seelentum dieser Geistesströmung zu widersprechen. Aber das Wesen Berlins – wir empfinden es eindringlich – ist vielschichtiger, reicher, schicksalsträchtiger, als es sich in Formeln ausdrücken läßt, und die versteckteren Züge seines Antlitzes traten im Laufe der Geschichte immer wieder überraschend zutage, meist in polarer Spannung zu dem Geist der taghellen Verständigkeit. So ist auch das Aufblühen der Romantik mitten im Zentrum der Aufklärung zu Ende des 18. Jahrhunderts zu verstehen, das von zwei jugendlichen Berlinern, Wilhelm Heinrich Wackenroder und Ludwig Tieck – beide 1773 geboren und eng miteinander befreundet –, mit einigen kleinen Werken eingeleitet wurde. Bei dem still-leidenschaftlichen, innerlichen Wackenroder wirkte sich der Gegensatz zu der Welt des Vaters indirekt aus, in dem Bild einer anderen Wirklichkeit, wie sie ihm in der Entdeckung der verschollenen, verschütteten Gründe des Mittelalters und seiner sakralen Kunst und in der Wunderwelt der Musik aufgegangen war – der Zusammenstoß mit der Alltagsgegenwart wurde für den Zart-Empfänglichen tragisch; die Aufzeichnungen unter dem seltsamen Titel *Herzensergießungen eines kunstliebenden Klosterbruders* (1796) und vor allem die darin enthaltene kleine Musikergeschichte des Joseph Berglinger künden davon. Tieck aber, der mit dem Gefährten entscheidende Erlebnisse teilte, vermochte sie mit seinem spielerisch regen Geist und Formtalent als neuen Stoff und Reiz seinem schon weiter entwickelten literarischen Werk einzubeziehen, und der Protest, zu dem auch er sich gedrängt sah, explodierte in dem Feuerwerk seiner Satiren und Märchenkomödien – womit er sich wiederum als echter Berliner erwies.

Der romantische Ton, den die beiden auf verschiedene Art angeschlagen hatten, wurde von anderen Jünglingen der Zeit aufgenommen und reicher, tiefer, klangvoller abgewandelt, immer weitere Geistes- und Seelenbereiche erfassend. Bald nach dem frühen Tode Wackenroders 1798 kam Tieck in enge persönliche Berührung mit den Dichtern und Denkern der ›Jenaer Romantik‹, deren theoretisch-kritische Führer die Brüder August Wilhelm und Friedrich Schlegel waren, vor allem verband ihn mit dem genialen Freiherrn von Hardenberg, der sich als Schriftsteller Novalis nannte, eine innige Freundschaft, in manchem Betracht von ähnlich fruchtbarer wechselseitiger, nur noch gesteigerter Bedeutung wie der Bund mit Wackenroder. Mit dem Tode des Novalis, 1801, fällt der Jenaer Kreis auseinander, die Freunde gehen fortan ihre eigenen Wege, räumlich, mehr noch geistig. Tieck kommt nach jahrelangem Wanderleben und Zeiten schwerer Erkrankung, in denen er nur wenig produziert, 1818 nach Dresden, wo er bis 1841 bleibt. Diese Dresdner Jahre, während er als Dramaturg am Hoftheater wirkt, bringen ihm nochmals eine höchst ertragreiche Schaffensperiode, in der sich sein Stil, seine Blickrichtung und seine geistige Grundhaltung merklich wandeln. Aus dem Romantiker, dessen Hauptwerk das dramatische Gedicht *Leben und Tod der Heiligen Genoveva* (1800) war, mit seinen »Farben, Blumen, Spiegeln und Zauberkünsten« (Goethe), ist ein eher realistischer Erzähler geworden, der in einer Fülle kleiner und größerer Werke sehr verschiedenartige Stoffe und Motive behandelt, bald aus der Historie geschöpft, bald der eigenen Erfindung entstammend, bald in strenger novellistischer Form, bald in lockerer gefügten, oft satirisch gefärbten ›Gesprächsnovellen‹ – und zum ausgeführten großen Zeitgemälde wird der Renaissance-Roman *Vittoria Accorombona* (1840).

Der Stilwandel im Schaffen Tiecks kommt nicht von ungefähr und unvorbereitet; in gewissem Sinne lenkt er damit zu seinen literarischen Ursprüngen zurück. Denn er begann keineswegs als Romantiker reinen Wassers, und seine ersten Werke *vor* der entscheidenden Einwirkung des erst in den *Herzensergießungen* 1796 sich ganz eigen bekundenden Wackenroder waren bestimmt durch das Schwanken zwischen aufklärerischer, satirischer Verständigkeit und der Neigung zu starken stofflichen Reizen, auch zum Krassen und Pathologischen. Tieck trug von seinen gegensätzlich veranlagten Eltern – dem tüchtigen und nüchternen Seilermeister, einem Berliner vom »normalen« sympathischen Typus, und der gemütstiefen, pietistisch frommen Mutter – ein komplexes seelisches Erbe in sich, das um so schwieriger zu harmonisieren war, als seinem beweglichen, den Einflüssen fast schauspielerhaft sich anpassenden Geist eine beherrschende Grundkraft und Leidenschaft fehlte, sofern man nicht eben das mimische und mimenhafte Genie, das sich von früh an bis ins hohe Alter in faszinierenden Vorlesungen von Dramen und Erzählungen bewies, als seine Uranlage betrachten will, die, gleichsam versetzt, auch im poetischen Schaffen wirksam wurde. So lassen sich nicht nur seine wechselnden Spielarten begreifen, sondern auch der meist improvisatorische Charakter seines Schaffens. Viele dieser oft flüchtigen Produkte sind heute verklungen, seine einst bewunderte Lyrik fast ganz; aber mitten in Werken, die heute nur noch historisch zu interessieren vermögen, aus weiten Strecken einer edlen, nie langweiligen, aber auch kaum noch tiefer berührenden Prosa, heben sich unvermittelt wahrhaft bezaubernde Momente von eigenem Klang und Glanz, und zwei- oder dreimal sind es kleine Werke, die ganz erfüllt sind von den wunderlich huschenden, aus Wirrnissen jäh aufblickenden oder traumverlorenen Bildern einer Phantasie, die den Abgründen und Nachtseiten der Seele tief vertraut ist, wie vor allem die Märchen *Der blonde Eckbert*

(1797) und *Der Runenberg* (1804) und gewisse Szenen im *Ritter Blaubart* (1797). Und hier, an den Randzonen des Wahnsinns und des Grauens, spricht – unmittelbar und gleichsam mit angstvoll geweiteten Augen – der Dichter.

Nicht nur von seinen Ursprüngen her, als er für die *Straußfedern* des Aufklärers Friedrich Nicolai Beiträge lieferte, mehr noch aus der geschichtlich-literarischen Entwicklung ist Tiecks schriftstellerische Wandlung zu verstehen. Der ungemein fein auf atmosphärische Geistesströmungen reagierende Autor befindet sich damit in Übereinstimmung mit dem allgemeinen Zug der Zeit zu einem neuen Realismus, wie er in der Literatur vorwegnehmend schon in Kleists Novellen, dann bei Achim von Arnim und bald darauf bei Grabbe und Büchner in je besonderer Ausprägung in Erscheinung tritt, während sich in den Werken E. T. A. Hoffmanns eine ganz einzigartige Spiegelung spätromantischer, realistischer und surrealistischer Züge in tiefsinnigkrausen Verflechtungen oder schroffen Entgegensetzungen zeigt.

Von Tiecks Erzählungen aus der Dresdner Zeit ist vor allem eine bis heute lebendig geblieben. Sie vereinigt den Nachhall beschwingter Jugendjahre mit der heiteren Tiefe eines reifer gewordenen Geistes und der realistischen Meisterschaft des überlegen komponierenden Novellisten. *Des Lebens Überfluß* erschien 1839. Man könnte das Jahr aus einer Analyse der Form und des Inhalts annähernd erschließen, so genau trifft das kleine Werk die literarische und soziologisch-politische Situation der Zeit. Auf dem schmalen Grat zwischen der abklingenden Romantik, dem bürgerlichen Realismus des Biedermeier und einem im Untergrund bereits wirksamen Materialismus erhebt es sich frei und leicht wie ein Luftschlößchen, mit seinem Szenarium eines von aller Welt abgetrennten Raumes, hoch über den Dächern einer Großstadt der Zeit, und mit dem aus allen normalen Daseinsbedingungen gelösten, aber selig in »des Lebens Überfluß« schwelgenden, jungen liebenden Ehepaar.

Der Hauptteil hat den Charakter einer Gesprächsnovelle.

Die beiden Gatten in ihrem dürftigen Refugium haben ja
wenig anderes zu tun und zu erleben, als miteinander zu
reden, zu scherzen, sich zu erinnern, wozu die Lektüre ihres
einzigen Buches: des Tagebuchs des Ehemannes, Veranlassung gibt, das sie von hinten nach vorn lesen und damit die
Vorgeschichte für sich (und den Leser) rekapitulieren. Die
reale Handlung ist so zu einem wesentlichen Teile vorver-
legt, zum anderen folgt sie in einem kurzen, lösenden
Happy-End. Sie bildet Voraussetzung und Rahmen für das
eigentliche, innere Geschehen: das Herz der Novelle pulst in
den weit ausgesponnenen, gleichsam unendlichen Dialogen
der beiden ganz auf sich angewiesenen Hauptpersonen.
(Nebenbei ist dies eine reizende Illustration der Ehe in ihrem
Wesen, das eben als ein Dialog zweier im innigsten Sinne
aufeinander bezogener Partner definiert werden kann.)
Diese Gespräche werden durch mehrere Wintermonate hin-
durch geführt, und es ist die große Kunst des Dichters, daß
sie, aus goldenem Überfluß sprudelnd, ganz absichtslos und
improvisiert erscheinen und doch voller Bezüge, Bedeutun-
gen und Hintergründigkeiten sind, daß nichts in ihnen
fehlen könnte, ohne den Organismus der Erzählung zu
zerstören. Die Reflexionen Heinrichs über die Eisblumen
am Fenster, die Erinnerung Claras an die Episode mit dem
Stallmeister ihres Vaters, die Betrachtungen des Tagebuches
über die Treue in ihren echten und ihren falschen, perver-
tierten Formen gehören wesentlich zu Gehalt und Struktur
des Werkes; alle die Einfälle und Scherze, mit denen die
Gatten sich die langen Tage vertreiben und immer neu
aneinander vergnügen, haben ihre bestimmte Funktion im
Ganzen und charakterisieren die beiden in lebendigster
Eigenart. In Heinrich glaubt man fast einen der Jünglinge
aus dem Kreise der Jenaer Romantiker, einen Novalis oder
Friedrich Schlegel von einst, zu hören, so souverän erhebt er
sich in seinen kühnen Spekulationen über die Wirklichkeit
und »poetisiert« kraft der Phantasie auch den armseligsten
Alltag; Clara, die diesen Höhenflug tapfer mitmacht, ist
doch Weib genug, um dabei »prosaische« Anwandlungen zu

haben und an die Zukunft zu denken – das Bild der jungen Frau, die dem Geliebten alles geopfert hat und ihm in nie versagender guter Laune und weiblicher Klugheit, seinen Übermut oft leise korrigierend, zur Seite steht, ist Tieck besonders anmutig gelungen. Während der Charme dieser Gespräche dem Leser das Glück der beiden Liebenden in all ihrer äußeren Misere glaubhaft macht, während er mit eingesponnen wird in diese märchenhafte Atmosphäre des Dachstübchens, die ihm durch viele kleine Züge vertraut und heimelig wird, geschieht äußerlich fast nichts – es ist ein Minimum an Handlung, das diese Novelle vorwärtstreibt. Aber dieses Minimum hat beträchtliche Wirkungen.

Es ist die *Treppe*, die zum Motor des Geschehens wird, als jenes zugleich dingliche wie symbolhafte Objekt, das die unverwechselbare Besonderheit des ›unerhörten Vorfalls‹ ausmacht – die Treppe in einem mehrdeutigen, geistreichen Sinne. Sie war am Anfang die einzige Verbindung der Liebenden mit der Außenwelt, soweit sie wenigstens den Besuch der hilfreichen alten Dienerin ermöglichte. Als aber die anhaltende Winterkälte den Ehemann auf den ingeniösen Einfall bringt, sie Stück für Stück zu verheizen, ist der letzte materielle Rest eines Verbindungsweges aufgezehrt, die Isolierung ist vollkommen, und die überraschte Clara gewahrt die groteske Lage mit etwas verzweifeltem Lachen in nackter Deutlichkeit. Wohl versucht es Heinrich mit verwegener idealistischer Philosophie im Stile Fichtes, die Notwendigkeit und sogar die objektive Realität dieser Treppe hinwegzudisputieren – er kann nicht hindern, daß sich eben an ihr, oder vielmehr an ihrem Fehlen, der Konflikt mit der Wirklichkeit ergibt und die Außenwelt nun erst massiv und feindlich ihnen zu Leibe rückt. Die Szene mit dem wütenden Hauswirt, der seine Treppe sucht und wiederhaben will, ist Höhepunkt und Peripetie der Novelle, ein realistisches Meisterstück von shakespearehaftem Humor; zugleich macht sie den tieferen Sinn des Geschehens in sinnbildhafter Anschaulichkeit deutlich – und man mag sich dabei erinnern, daß die Treppe im Sinne einer Stufenleiter zu den ältesten und prägnantesten Symbolen in der asketischen Mystik gehört, was Tieck, der Kenner Jacob Böhmes, wohl wußte.

An dem *oberen* Ende der verschwundenen Treppe steht Heinrich, der Herr seines Reiches des »geistdurchdrungenen, rätselhaften Lebens«, der schönen ehelichen Liebe und der echten schöpferischen Kraft der Phantasie, das er wie eine Ritterburg gegen den Angriff der platten bürgerlichen Empirie, verkörpert in dem grämlichen Hauswirt am *unteren* Ende, verteidigt. Der Dialog zwischen den beiden umspielt diese Position mit allen Lichtern einer doppelbödigen Ironie. So sehr von seinem unteren Standpunkt der seiner Treppe handgreiflich beraubte Eigentümer im Recht scheint, das höhere Recht ist bei dem jungen Paar, das sich seine reine Zusammengehörigkeit gegen eine von Standesdünkel, Engherzigkeit, Lieblosigkeit beherrschte Gesellschaft, die sie in die Isolierung hineingetrieben hat, erkämpft und mit tapferer Genügsamkeit und geistiger Souveränität behauptet hat – auch die bedenklichen Mittel sind ja nichts als Notwehr. Die Zeitkritik, die der alte Tieck hier direkt und indirekt übt, geht noch mehr in die Tiefe durch den Blick in die drohenden Untergründe. Von weiter unten her – wörtlich und symbolisch – drängt die Menge der sozial Gedrückten in die bürgerliche Etage des Hauswirts, und es entspricht genau der soziologischen Situation der Zeit und mehr noch der Zukunft, daß zwischen jener und dem intellektuellen Außenseiter im oberen Stockwerk sich bald eine gewisse Sympathie, wenn auch aus halbem Mißverständnis, herstellt. Der Verfechter eines reinen Menschentums und des Rechts der Persönlichkeit muß in einer engen, immer ausschließlicher vom materiellen Interesse bestimmten Scheinordnung als Verschwörer und Revolutionär erscheinen. So im Jahr 1839 der vormärzlichen Biedermeierzeit.

Das ist hier nur mit leichten Strichen angedeutet, der Dichter hält sich ganz in den Grenzen eines graziösen Spiels, wie denn der glückliche Ausgang alle Konflikte in Wohlgefallen löst. Die Ironie ist ohne Aggressivität und nicht einseitig, sie richtet sich gutmütig auch gegen den »reinen Idealismus«

einer frei schwebenden Geistigkeit ohne jede »Treppe« zur materiellen Wirklichkeit – hierin spricht sich die neue realistische Gesinnung Tiecks aus. Aber die wahre Rangordnung der Werte wird gerade an diesem Dingsymbol der Treppe in bewußter Wendung gegen den Zeitgeist unzweideutig herausgestellt. Der Inhalt des menschlichen Lebens besteht, wie die Schlußworte der Erzählung andeuten, aus »Bedürfnis, Überfluß und Geheimnis« – das Bedürfnis, auch in der Form der materiellen Not, bleibt eine seiner Grundlagen; aber erst aus dem Überfluß des Geistes, der Liebe, aller oberen Seelenkräfte kann es frei gemeistert und die innere Selbständigkeit gewahrt werden, die es wahrhaft menschenwürdig macht – denn es ist über alle materielle Bedingtheit hinaus ein Geheimnis. Hier gewinnen die Reflexionen Heinrichs über die *Schonung*, die der Mensch den nichtmateriellen hohen und höchsten Werten schuldet, die ihrer Natur nach zart, gefährdet und dem Griff »plumper Gesellen« und »hartfäustiger Kameraden« ausgesetzt sind, ihre weit über den besonderen Vorgang hinaus gültige Bedeutung. Wenn er die Poesie, die Religion, die Offenbarung, aber selbst den Staat als »mystische Gegenstände« und »heilige Geheimnisse« bezeichnet, die nicht mit »frechem Witz« zerstört oder wegen einzelner Mißbräuche in ihrem Wesen selbst negiert werden dürfen – dann faßt er das innerste Anliegen der romantischen Bewegung in ihrem von vielerlei Schlacken und Verstiegenheiten gereinigten Kern zusammen; zugleich ist es eine Warnung an die Zukunft, auch an unsere Gegenwart. Und es fällt das tiefe Wort: »Immer ›Nein‹ sprechen ist gar nicht sprechen« – eine so knappe wie wahre Kennzeichnung der letzten Konsequenzen des Nihilismus, wie er als Begriff und Lebenshaltung eben um die Jahrhundertmitte aufkam.

Noch auf andere Weise läßt Tieck das Gegenthema zu dem realistischen Märchen von »des Lebens Überfluß«, den dunklen Schatten als Folie der trotz aller Not heiteren, beglückenden Idylle der beiden Liebenden hervortreten. Der Traum von der Auktion, den Heinrich seiner Frau erzählt, ist für die äußere Handlung belanglos. Um so wichtiger ist er für den Sinn des inneren Geschehens. Er ist – wie Benno von Wiese in seiner ausführlichen Analyse der Novelle ausführt, der wir manche Anregung und Bestätigung danken (vgl. B. v. W., *Die deutsche Novelle von Goethe bis Kafka. Interpretationen*, Bd. 1, Düsseldorf 1956 [u. ö.]) – nicht mehr Märchen, sondern »Anti-Märchen«, ein »ausgesprochener Angsttraum«. Er stellt den Glauben, von dem die beiden Liebenden leben, in Frage. Dichterisch gehört die Traumerzählung zum stärksten, was Tieck geschrieben hat, sie reicht nahe an den Rang der großen Traumvisionen Jean Pauls – und wir erinnern uns, daß Tiecks Poesie gerade an den Randzonen des Grauens zu ihrem überzeugendsten Ausdruck gelangt. Obwohl Heinrich das skurrile Geschehen leicht ironisierend erzählt, schlägt das Grauen vor diesem Blick in eine angstvoll erlebte Wirklichkeit durch, in der die Personen zur bloßen, taxierbaren Ware werden, Liebe, Treue und alle echten Tugenden ein Nichts sind und nur noch der »allgemeine Nutzen« für eine herzlose, rein ökonomisch orientierte Gesellschaft zählt. Mit der inneren Logik des Unbewußten führt der Traum denn auch zur Hinrichtung der beiden Liebenden, die mit ihrer Existenz und ihrem Glauben geradezu Hochverräter an einem solchen kältesten Ungeheuer von Staat werden. Die Nachdenklichkeit, welche die Gatten nach dieser Traumerzählung befällt, teilt sich auch dem heutigen Leser mit.

Ludwig Tieck hat nach dieser Meisternovelle nur noch ein Werk, den Roman *Vittoria Accorombona*, vollendet. Im Jahre darauf, 1841, folgte er dem Ruf Friedrich Wilhelms IV., des neuen preußischen Königs, nach Potsdam. Als dessen gelegentlicher Vorleser, sonst aber ohne Geschäfte, brachte er hier und in Berlin seine letzten zwölf Jahre zu. Das Ende seiner Bahn kreist zu dem Anfang zurück – aber der vielfach geehrte »letzte Statthalter der Romantik« ist in der neuen Zeit vereinsamt, andere Tendenzen haben in der Literatur mit der Bewegung des »Jungen Deutschland« die

Herrschaft angetreten. Nur in den Niederungen wuchert eine Vulgär- und Pseudoromantik fort, die das Bild der ursprünglichen geistigen Romantik in Berlin, Jena und Heidelberg verfälscht und ihren Namen und Begriff weithin diskreditiert hat. Tieck starb am 28. April 1853 in Berlin und wurde neben Schleiermacher, seinem einstigen Gefährten aus frühromantischen Tagen, beigesetzt.

Konrad Nussbächer

Inhalt

Des Lebens Überfluß 3

Anmerkungen 65

Nachwort 69

Ludwig Tieck

IN RECLAMS UNIVERSAL-BIBLIOTHEK

Der blonde Eckbert
Der Runenberg. Die Elfen
Märchen. Nachwort von Konrad Nussbächer. 7732

Franz Sternbalds Wanderungen
Roman. Studienausgabe (mit 16 Bildtafeln). Herausgegeben
von Alfred Anger. 8715 [5]

Der gestiefelte Kater
Herausgegeben von Helmut Kreuzer. 8916

Des Lebens Überfluß
Novelle. Nachwort von Konrad Nussbächer. 1925

Liebesgeschichte der schönen Magelone
und des Grafen Peter von Provence
Mit einem Nachwort von Edward Mornin. 731

Merkwürdige Lebensgeschichte Sr.
Majestät Abraham Tonelli
Herausgegeben von Ernst Ribbat. 9748

Vittoria Accorombona
Ein Roman in fünf Büchern. Herausgegeben von W. J.
Lillyman. 9458 [6]

Philipp Reclam jun. Stuttgart